5

2/22

UN HOMME EN FUITE

DU MÊME AUTEUR

Romans

Les Enfants de l'aube, Lattès, 1982.
Deux amants, Lattès, 1984.
La Traversée du miroir, Balland, 1986 ; Fayard, 2006.
Les Loups et la Bergerie, Albin Michel, 1994.
Un héros de passage, Albin Michel, 1996.
Une trahison amoureuse, Albin Michel, 1997.
Petit homme, Albin Michel, 1999.
L'Irrésolu, Albin Michel, 2000 (prix Interallié).
Un enfant, Albin Michel, 2001 (prix des Lecteurs du Livre de Poche).
J'ai aimé une reine, Fayard, 2003.
La Mort de don Juan, Albin Michel, 2004 (prix Maurice Genevoix).
Petit prince du désert, Albin Michel, 2008.
Fragments d'une femme perdue, Grasset, 2009.
Le Crépuscule des héros (trilogie), France Loisirs, 2010.
Rapaces, Le Cherche-midi, 2012.

Avec Olivier Poivre d'Arvor :
Le Roman de Virginie, Balland, 1985 (prix des Écrivains bretons).
La Fin du monde, Albin Michel, 1998.
Disparaître, Gallimard, 2006.
J'ai tant rêvé de toi, Albin Michel, 2007.

Suite en fin de volume

Patrick Poivre d'Arvor

UN HOMME
EN FUITE

roman

ROBERT LAFFONT

© Éditions Robert Laffont, S.A., Paris, 2015
ISBN 978-2-221-14676-7

À Caroline et à Florian

« La femme est dans le feu, dans le fort, dans le faible, la femme est dans le fond des flots, dans la fuite des feuilles, dans la feinte solaire où comme un voyageur sans guide et sans cheval j'égare ma fatigue en une féérie sans fin. »

Louis Aragon,
Le Paysan de Paris

« Écrire, en fin de compte, est une fuite et un refuge. »

Fernando Pessoa,
Le Livre de l'intranquillité

1.

Ces yeux. Tant de confiance dans ce regard qui le fixait au moment où tous les muscles de l'enfant se relâchaient et où sa volonté l'abandonnait. Ces yeux qui semblaient l'interroger, lui adresser un appel muet avant de se refermer dans l'espoir de trouver à leur réveil une vie meilleure. Et leur pupille avait imprimé, en dernier lien avec le monde, l'ultime image d'un homme en blanc, calme, souriant, penché sur lui, comme pour l'embrasser.

Ces yeux-là ne se sont jamais rouverts. Sinon pour lui, Aurélien Desmaroux, et pour peupler ses nuits de cauchemars. Des yeux qui avaient cessé d'être confiants pour devenir implorants. Ces derniers temps, ils étaient pleins de colère.

Aurélien se réveillait en sueur, une méchante sueur glacée, et ne parvenait plus à se rendormir. C'était ainsi depuis cent quatorze nuits. Il avait fait le compte. Cent quatorze nuits et cent quatorze jours à lutter, à ressasser, à regretter, depuis la mort de l'enfant et ce qu'elle avait provoqué : la fuite, la déchéance, la honte et le remords, comme un poison lent.

Toute sa vie désormais, Aurélien savait qu'il aurait à lutter contre la nuit, devenue son ennemie, et le souvenir de ces yeux qui le hantaient. Il avait beau s'assommer à coups d'anxiolytique, de neuroleptique, d'antidépresseur, rien n'y faisait. Il avait tout essayé pour retrouver le sommeil : des médecines douces aux remèdes les plus vigoureux, en passant par l'hypnose, le yoga ou le tantrisme. En vain. Chaque nuit, c'était le même réveil brutal, en sueur, à trois heures du matin, rarement quatre. Le même vide poisseux, oppressant. Assis sur le rebord de son lit, les bras ballants tel un pantin désarticulé, Aurélien passait de longues minutes à regarder ses pieds, comme souvent le font ceux qui ne sont pas fiers d'eux.

Dans les premiers temps, il avait tenté de se rendormir, et n'y était jamais arrivé. Alors il avait cessé de remuer dans son lit à la recherche de la meilleure position. Étendu sur le dos les bras en croix et les paupières fermées, il s'efforçait de garder son calme et de patienter en attendant de s'assoupir à nouveau. Lorsqu'il ne pouvait faire autrement, de guerre lasse, que de rouvrir les yeux et de fixer le plafond, le regard de l'enfant l'attendait.

Leur face-à-face l'épuisait, le consumait. Que répondre à ce regard sans mentir? Aurélien savait que sa nuit était finie. Il se levait pour aller parcourir un livre dans sa bibliothèque, mais à la deuxième page sa vue se brouillait, son attention se dispersait. Il refermait le livre. Le lendemain, il en ouvrirait un autre.

Après s'être abreuvé de tant et tant d'incipit, il s'était dit que lire les autres ne lui suffisait plus, que le temps était peut-être venu d'écrire son propre livre. Tout ce qu'il n'avait su exprimer à ses pairs, ou tout simplement à ses amis, il le déposerait sur une feuille vierge. Mais il n'avait aucun talent pour le faire. Son écriture était plate, son style anémique, sa narration linéaire. Il était suffisamment lucide pour renoncer à ce qui n'aurait pu lui procurer que de nouvelles désillusions. Et rien de cet apaisement ou de cette délivrance qu'il espérait...

Il ne lui restait plus qu'à s'en prendre à son propre corps et à le martyriser à son tour pour trouver une issue. Il tenta donc le sport afin de tout oublier.

À trois heures du matin, ou un peu plus tard les bons jours, il enfilait ses chaussures de jogging et partait courir autour de chez lui. Nuit après nuit, il s'enhardit et se mit à élargir le périmètre de sa course – course étant un bien grand mot s'agissant d'un déhanchement furieux dont la colère était le seul moteur.

Il courait dans la nuit et dans la solitude. Il ne croisait au mieux que quelques vieillards insomniaques qui promenaient leur chien. Au fil du temps, ces chiens lui apparurent comme des bêtes fort disgracieuses, en général minuscules et courtes sur pattes, sans doute trop laides pour être exhibées de jour. Le ménage que chacun de ces animaux formait avec son maître – cette ressemblance quasi physique qui finit par s'établir entre des êtres décrochés de la vie – parvint à toucher Aurélien, pourtant fort peu accessible à toute autre détresse que la sienne.

Il lui arriva aussi de frôler un ou deux noctambules éméchés et un couple qui se disputait de retour de soirée. Cela l'aida un peu à oublier le sien, qui avait, comme tant de choses, volé en éclats après le drame.

Parfois une voiture de police en patrouille ralentissait à son approche. Un jour une vitre se baissa, un officier scruta cet étrange oiseau de nuit qui ne parvenait pas à s'envoler, puis le véhicule reprit sa vitesse. Peu à peu, on s'habitua à lui.

2.

Quand on lui avait amené l'enfant en salle d'opération, il avait, comme avant chaque intervention, jeté un coup d'œil machinal sur la fiche que lui tendait l'infirmière principale.

À ses débuts dans le métier, il étudiait minutieusement chacun des cas qui se présentaient à lui, le plus souvent la veille avant de se coucher. Voilà pourquoi en ces temps-là son sommeil était tranquille, abordé avec la quiétude d'un travail bien préparé et du lendemain bien accompli. Sa réputation était devenue telle que tout le monde le voulait comme chirurgien. Le professeur Desmaroux devint le praticien le plus estimé de l'hôpital de Tours et bientôt de toute la région. Il connaissait un grand succès, gagnait beaucoup d'argent, on l'invitait partout, dans les soirées comme à la télévision régionale où on lui demandait son avis sur à peu près tout, y compris dans des domaines où ses compétences étaient plus limitées. Il rêvait d'égaler un jour l'un de ses confrères plus âgé qui exerçait à Paris, s'était présenté à la mairie d'Amboise et avait eu l'honneur d'opérer un président de la République.

Sûr de son art, il s'enivrait de propositions de promotion parisienne, mais il aimait trop le confort d'une position sociale considérable dans la région et se laissait étourdir par le doux murmure des éloges et des surnoms encenseurs dont on le comblait : « l'homme aux doigts d'or », « le chirurgien le plus séduisant du Val de Loire » et autres flatteries qui le rassuraient. Il faut dire qu'il était très bel homme, élancé, blond aux yeux bleus, les cheveux souples, négligemment rejetés en mèches folles. Une allure d'aventurier de la médecine qui lui valait bien des succès féminins. Il se contentait donc d'accumuler les opérations, tant il était demandé et y trouvait son compte. Mais, à force de routine, il s'était un peu relâché et ne préparait plus ses interventions avec le même soin que naguère. Tout se passait bien néanmoins et ses mains expertes paraissaient si agiles...

Ce matin-là, après avoir brièvement parcouru le carnet d'hospitalisation d'Arthur, un petit garçon de sept ans, vérifié les risques postopératoires, quasi nuls, Aurélien attendit avec confiance que se termine le travail de l'anesthésiste. Il guettait son hochement de tête, et quand celui-ci advint, il se pencha sur l'enfant afin de lui murmurer les mots de réconfort qu'il glissait à chacun de ses patients. En général, ils s'endormaient sans entendre la fin de sa phrase.

16

C'est là qu'il avait croisé son regard. Ce regard d'angelot aux yeux bleus qui plus jamais ne s'effacerait de sa mémoire.

Il avait pratiqué plus d'une centaine de fois cette opération visant à corriger chez les enfants de son âge une malformation cardiaque qui limitait l'afflux d'oxygène et les contraignait à vivre toujours essoufflés. Quand ils entraient à l'école primaire, ils se voyaient privés de toute activité sportive. La plupart d'entre eux devaient subir les railleries de leurs camarades qui, de leur côté, pouvaient s'adonner sans retenue aux cours d'éducation physique.

Mais dans une heure, deux tout au plus, c'en serait fini du chemin de croix d'Arthur. Il pourrait enfin respirer comme presque tous les enfants du monde.

D'un nouveau geste de la tête, l'anesthésiste fit signe à Aurélien que le patient était désormais entre ses mains. Inexplicablement, le chirurgien avait eu un instant d'absence que son confrère attribua à une réflexion prolongée sur la manière d'aborder l'opération.

Aurélien ne réfléchissait à rien de particulier, il rêvassait. Il s'était couché trop tard et, à huit heures du matin, Arthur était son premier patient.

Il se reprit très vite puis, d'une main sûre, pratiqua l'incision du thorax qui lui permettait d'atteindre le cœur.

Comme il l'avait fait si souvent, il pinça l'aorte pour stopper toute circulation sanguine et il engagea le bistouri que venait de lui tendre son infirmière préférée.

C'est alors qu'un léger voile noir assombrit un court instant sa vue et que sa main droite se déroba tout à coup aux ordres qu'il lui donnait. Elle glissa avec le bistouri le long de l'aorte et le sang de l'enfant gicla en un jet chaud et épais. Aveuglé, Aurélien porta la main à son visage, voulut se donner de l'air en dégageant son masque, mais il finit par s'évanouir.

Il eut seulement le temps d'entendre les réactions d'affolement et de panique qui montaient autour de lui.

Quand il reprit connaissance, c'est avec soulagement qu'il retrouva le regard de cette infirmière dont il avait été naguère si proche. Il se redressa alors instantanément pour reprendre l'opération.

Au-dessus de lui, il n'y avait plus d'éclairage violent. Tout matériel avait disparu. Il n'était plus au bloc, mais dans une simple chambre de malade.

— Céline, qu'est-il arrivé?

— Vous avez eu un malaise, professeur, mais il est passé.

— Et l'enfant? lui demanda-t-il, soudain oppressé par un douloureux pressentiment.

— Il est mort, répondit-elle. Vous n'y êtes pour rien.

Destinée à le rassurer, cette dernière phrase lui parut aussitôt indécente. «Vous n'y êtes pour rien»,

« C'est la faute à pas de chance »... Il ne connaissait que trop ces mots mécaniques dont on use par commodité, pour excuser des fautes qui méritaient moins d'indulgence. Il lui était arrivé de les prononcer lui-même pour réconforter des confrères qui venaient de manquer une opération. Et aujourd'hui, c'était son tour...

L'infirmière le regardait avec une infinie compassion.

— Je veux aller voir ses parents.

— Le docteur Coffin leur a parlé. Ils sont sous le choc... On a dû mettre la mère sous morphine... N'allez pas les voir maintenant. Ils ne sont pas en état de vous recevoir.

Aurélien ne répondit pas et tenta de se lever.

— Ne bougez pas, professeur, lui recommanda l'infirmière. On ne sait pas ce qui vous est arrivé. On doit faire des analyses. Il serait plus prudent que vous restiez ici.

Il demanda à voir le docteur Coffin sans tarder, impatient de comprendre ce qui s'était exactement passé. Après un long silence, l'infirmière quitta la pièce pour aller le chercher.

3.

— Que s'est-il passé, Aurélien?

— Je ne sais pas, c'est à toi de me le dire.

— Tu as perdu connaissance, ça peut arriver.

— Ça ne m'est jamais arrivé!

— On t'a fait une prise de sang, on devrait bientôt être fixé. Je parierais sur une anémie, mais ce n'était peut-être qu'une simple fringale. Tu avais mangé ce matin?

— Oui.

Il a acquiescé mais son oui sonne faux, bien qu'il ne mente pas....

Tout sonne faux, d'ailleurs, dans ce qu'ils sont en train de lui dire. Et cette agitation autour de lui, pour un simple malaise, alors qu'un enfant vient de mourir, a quelque chose d'incongru.

— Il s'appelle comment, déjà? demande-t-il

— Il s'appelait Arthur, répond son confrère qui prend soin de le ramener à la réalité.

— Il paraît que tu as parlé aux parents. Accompagne-moi les voir. Comment réagissent-ils?

— De la pire des façons. On peut les comprendre. N'y va pas tout de suite. On a endormi la mère, comme tu le sais.

Le médecin semble le scruter avec inquiétude. Il y a forcément en lui de la bienveillance car ils se connaissent bien, ils s'apprécient, ils ont même tissé des liens d'amitié. Son confrère est un peu plus âgé qu'Aurélien, déjà presque chauve, il est moins brillant que lui, pas encore professeur, mais il n'a jamais semblé animé par une quelconque jalousie.

Il flotte entre eux une gêne impalpable. Coffin ne le quitte plus, comme pour le protéger de lui-même. Mais Aurélien n'a pas encore à ce moment précis de pensées suicidaires. Il aura le temps de se rattraper. En fait, il n'a plus qu'une obsession en tête : aller rendre visite aux parents, leur parler... Mais pour leur dire quoi ? Quelle vérité ?

La vérité lui saute à la figure quelques minutes plus tard quand Coffin s'absente après avoir reçu un message sur son téléphone portable et qu'il revient, livide, dans la chambre.

— Les parents ? interroge Aurélien.

— Non, toi.

— Moi ?

— J'ai les analyses.

— Déjà ? Ce n'est pas possible.

— Je ne parle pas de ton bilan sanguin. Il ne m'inquiète pas plus que ça. Tout est là.

Et il brandit une feuille sous le nez de son confrère.

— 0,7! Qu'est-ce qui t'est arrivé?!

— 0,7 quoi?

— J'ai prescrit une recherche d'alcoolémie. Le reste me semble maintenant accessoire.

— Tu as fait ça, toi, mon ami?

Aurélien s'emporte parce qu'il pressent déjà qu'autour de lui tout est sur le point de s'effondrer.

— C'était la moindre des choses. C'est la procédure légale. D'ailleurs mon instinct ne m'avait pas trompé.

— Comment ça «légale»? Je ne conduisais pas.

— Tu as conduit pour venir à la clinique, lui assène Coffin. Mais ça, ce ne sont pas mes affaires. Le problème, mon petit vieux, c'est que tu as tué un gosse!

Un rictus est apparu sur le visage de Charles Coffin. Et son confrère regarde maintenant le chirurgien, plus titré que lui et tant admiré, mais aussi l'ami, le confident, avec une sorte de haine froide.

— Ce que tu as fait, je ne peux pas te le pardonner. Ni personne d'ailleurs. C'est criminel.

«Criminel», «assassin», Aurélien ne le sait que trop et il s'est presque habitué déjà à entendre ces mots-là. Mais il veut encore se sauver. Même sans gloire.

— Ne dis rien à personne, supplie-t-il. Sinon je suis foutu. J'ai des excuses. Je traverse une mauvaise passe.

Coffin se tait, dans l'attente d'une confession ou plutôt d'une tentative d'explication qui lui paraît aussitôt misérable.

— J'ai eu une histoire avec une fille, Valérie, qui me plaisait bien, mais pour moi ce n'était qu'une simple aventure, se met à raconter Aurélien. Pas pour elle. Très vite elle a voulu que je divorce, j'ai refusé puis elle m'a demandé de lui faire un enfant. Je lui ai dit non de nouveau. Elle s'est quand même arrangée pour être enceinte : depuis, je suis en pleine panique... Je ne la vois plus mais je ne sais pas comment avouer tout cela à ma femme. Et en même temps je me dis que si je ne reconnais pas cet enfant, je suis un salaud.

— Tu l'es de toute façon depuis ce matin !

— Écoute-moi au moins et donne-moi une chance de m'en sortir. Depuis cette histoire, je bois un peu plus que d'habitude, c'est vrai. Vous vous êtes souvent moqués de moi parce que j'aimais ça. Mais je ne me suis jamais enivré, tu le sais. Je tiens bien l'alcool. Je suis sûr de moi. Ce matin, c'était autre chose : une accumulation de fatigue. Hier soir je suis venu me coucher trop tard et Nathalie m'a pris la tête. Au réveil, elle a recommencé. Alors pour me détendre et rester maître de moi avant l'opération, j'ai pris un petit armagnac. Rien qu'une goutte. Juste un pousse-café !

— Un armagnac à sept heures du matin ! Mais c'est ça l'alcoolisme, Aurélien...

— Je t'en prie. Je le sais, j'ai foiré. Mais ne m'accable pas, Charles. Ne me dénonce pas.

— C'est trop tard. Tout le monde est déjà au courant, et tout à l'heure au bloc, ça s'est vu. Les deux infirmières ont parlé entre elles. Même ta chère Céline a remarqué que ta main tremblait et que ton front était moite. Personne n'a envie de t'accabler, Aurélien, mais ne rien dire serait de la complicité, et ça ne t'aiderait pas à t'en sortir. Et puis il y a ces analyses. S'il y a enquête, le labo les retrouvera. Il faut que tu assumes ta faute. Un enfant est mort.

Un enfant est mort à cause de lui et Aurélien se débat déjà avec ses mauvais alibis et ses mensonges, comme un chauffard qui prend la fuite.

Soudain l'effroi le gagne. Il pense aux conséquences prévisibles du drame sur sa carrière, sa réputation, la suite de sa vie... Et il se méprise de ne penser qu'à cela. Dans une chambre voisine, deux parents sont tétanisés de douleur. Et eux n'ont rien fait pour la mériter.

4.

Aux obsèques du petit Arthur, Aurélien Desmaroux fut pris à partie par le grand-père de l'enfant.

— Vous n'êtes pas le bienvenu, monsieur. Je vous demande de quitter ces lieux. Et si nous n'étions pas dans une église, je vous aurais mis ma main sur la figure.

Lorsqu'il a remonté l'allée centrale de la nef de Saint-Martin, personne n'a prêté attention à lui mais il s'est cru l'objet de tous les regards et de tous les reproches. Autour de lui, il n'y avait que des yeux embués ou rougis, des nez qui reniflaient et des mains qui se serraient, ce cortège du malheur qui s'ébroue.

À la sortie de l'église, il s'est adossé au pilier droit, sous la rosace. De l'autre côté de la porte, un mendiant accroupi attirait son attention. Il ne lui donna rien, sans se chercher des excuses, comme s'il jugeait que la misère du pauvre homme n'était rien au regard de la sienne.

Il lui avait semblé que dans l'église, avant l'altercation, un de ses confrères, croisé furtivement, avait détourné le regard. Il n'en était pas sûr mais il voulait s'en persuader. D'ailleurs, dans les jours qui suivirent le drame, il reçut très peu de messages de soutien de la clinique où il opérait. Seule Céline, l'infirmière, s'était manifestée par deux fois à travers un SMS chaleureux et une longue conversation pleine pour lui de réconfort. Les autres témoignages avaient été plus brefs, plus convenus. Pas une lettre. Personne ne s'engageait à ses côtés. Coffin moins encore que les autres, qui ne lui fit aucun signe. Ce téléphone quasi muet, cette boîte aux lettres vide, cette absence criante de la moindre solidarité, signifiaient autant de désaveux.

Abattu, lourd de honte et déjà paria à ses propres yeux, Aurélien n'avait pas osé se présenter sur ses lieux de travail, au lendemain de l'accident. Il ne s'était pas senti en état d'affronter les regards, les murmures sur son passage. Épuisé par les nuits sans sommeil, il se prostrait chez lui et ne se nourrissait presque plus.

Sa seule occupation le clouait à une table de bridge. Il y déroulait des réussites, distraction dérisoire pour qui vient de subir le plus lamentable échec de sa vie. Il essayait de se donner des excuses, mais se trouvait au mieux quelques circonstances atténuantes. Son cas paraissait sans appel.

Il s'était à ce point rétréci, atrophié, qu'il était à l'affût de signes ridicules, de pure superstition, pour se persuader qu'il avait quelque chance de s'en sortir. Ainsi une dame de pique dans les cinq premières cartes le plongeait dans un abattement sans nom, un as de cœur lui redonnait espoir.

Le lendemain de l'enterrement, alors qu'il était rivé à sa petite feutrine verte, à ce jeu auquel il s'accrochait parce que le général de Gaulle était mort ainsi, pendant une ultime réussite – et c'était ce qui aurait pu lui arriver de mieux, se voir terrassé par une crise cardiaque –, il fut extrait de sa torpeur par un bruit en cascade. Celui d'une vitre qui s'effondre, brisée par un pavé qui roula presque à ses pieds. Était écrit dessus, au feutre, en grandes lettres noires, ce simple mot : SALOPARD.

C'est alors seulement qu'il avait pensé à l'enfant. Il avait fallu ce pavé, cette agression brutale, cette intrusion anonyme dans son confort encore douillet pour qu'il cesse de se lamenter sur son propre sort. Depuis cinq nuits, il imaginait les mille et une façons de masquer ou d'atténuer sa responsabilité pour réussir à trouver une issue. Il envisageait les solutions les plus radicales, les départs les plus violents, en se mettant parfois à espérer quelque brusque retournement du destin en sa faveur. Mais il ne songeait presque jamais au malheur qui, par sa faute, avait frappé le petit garçon de manière irrémédiable.

À partir de ce jour commencèrent ses cauchemars et l'irruption dans sa vie d'une image obsédante : celle d'un enfant qui allait s'endormir rassuré, un enfant qui lui souriait, un enfant aux yeux intenses.

Arthur était venu se nicher en lui et, pour tout dire, dans les premiers temps, il lui tenait compagnie. Il se l'avouait à peine, et n'aurait osé le confier à personne : le petit garçon lui était devenu indispensable. Enfin un compagnon d'infortune.

Enhardi par ces pensées qu'il jugeait lui-même scabreuses et malsaines, Aurélien eut le courage de sortir de chez lui, pour la première fois depuis six jours. Il jeta un regard par la vitre brisée, puis derrière l'œilleton de la porte et, comme nulle présence ne semblait le menacer, il prit le chemin du cimetière.

Parvenu sur place, il rusa pour entrer discrètement et, sans demander l'emplacement de la tombe, se dirigea vers le carré le plus fleuri, celui des inhumations récentes.

Il n'y avait personne. Il resta pourtant à distance, plus gêné que méfiant. Ici venait de prendre fin une vie à peine commencée. Un homme l'avait anéantie et cet homme, c'était lui.

Pour la première fois depuis le drame, Aurélien se mit à pleurer. En grande partie sur lui-même mais aussi sur le sort du petit Arthur dont le malheur commençait enfin à le bouleverser.

Il s'approcha peu à peu. L'endroit était toujours désert. La tombe de l'enfant était facile à distinguer, tant elle croulait sous les fleurs, blanches pour la plupart. Des couronnes s'entassaient sur un emplacement encore vierge, une simple dalle de ciment sur le gravier. Il put y découvrir des inscriptions personnelles déchirantes ou plus sobres, plus anonymes : l'école de l'enfant, la mairie de Tours, l'hôpital... Tout ici lui rappelait sa faute. Et ce sentiment de culpabilité l'envahissait tout entier.

Il lui fallait parler à cet enfant, tant il était sûr qu'il l'entendrait, tapi quelque part ou tout là-haut, en le regardant sévèrement.

Il voulait lui raconter sa vie de petit garçon, quarante ans avant la sienne, ses propres rêves d'alors. Son ambition de sauver le monde, de devenir un héros. Plus tard il s'était contenté de porter secours aux hommes – ou d'essayer de le faire. Il n'y était pas toujours parvenu mais il pensait avoir fait de son mieux.

Il le suppliait de lui accorder son pardon. Sa rédemption serait à ce prix-là.

Pour l'obtenir, Aurélien était prêt à tout. Et après lui avoir parlé de son enfance, il imposa au petit garçon, qui n'en pouvait mais, le récit de sa vie d'adulte. Il n'avait pas eu d'enfant, sans doute par égoïsme, pour bien profiter de tous les plaisirs. Il s'était marié sur le tard, tant il aimait son existence de célibataire. Les femmes étaient à ses pieds, il n'avait qu'à choisir. Il prenait, il jetait, soucieux de ne laisser aucune trace. Un enfant en eût été une. Il partait, ou s'arrangeait pour être quitté. De la sorte, il se croyait libre.

Et puis un jour, il avait rencontré Nathalie, une brune piquante aux yeux verts, plus jeune que lui mais plus mûre d'esprit et de caractère. Elle avait beaucoup d'humour, se moquait de la vie qu'il menait sans en paraître jalouse, ironisait et philosophait sur tout avec un grand recul. C'est ainsi qu'elle le séduisit, l'apprivoisa et, tout doucement, le captura.

Mais il était déjà bien tard pour avoir un enfant. Ils s'y essayèrent, sans trop de conviction, puis se dirent que plus tard, ils en adopteraient un.

Aurélien proposa à Arthur de l'adopter s'il devait un jour revenir sur terre. Il ne savait plus ce qu'il disait. Mais il lui restait quand même un rien de lucidité pour savoir qu'il devenait pathétique. Il s'éloigna sans bruit et promit à l'enfant de revenir.

5.

Nathalie ne lui avait posé aucune question, n'avait formulé aucun reproche, la semaine qui suivit le drame. Elle l'entourait de soins quasi maternels et s'occupait de tout à sa place, jusqu'à répondre pour lui au téléphone.

C'est elle qui le matin allait relever le courrier afin d'éviter à son mari toute surprise désagréable. Elle avait jeté à la poubelle les lettres de menace qu'il recevait, sans les lire jusqu'au bout. L'un de ces messages anonymes évoquait la vie sentimentale agitée de son mari. À la troisième ligne, elle l'avait déchiré, n'ayant aucune envie d'en savoir davantage. C'est fou ce que dans ces moments-là les gens sont capables d'être ignobles et lâches, à l'abri de la dissimulation.

Il n'y avait pas que les corbeaux à se manifester. Un courrier administratif volumineux leur parvint aussi de l'hôpital et de la clinique. Nathalie put intercepter à temps une facture qu'on demandait au chirurgien de contre-signer : le coût de l'intervention sur le petit Arthur. Elle cacha le document dans ses propres dossiers.

Le surlendemain arriva une lettre très officielle du directeur de la clinique, demandant au professeur Desmaroux de se présenter à un entretien huit jours plus tard. Il le vouvoyait alors qu'il s'agissait de l'un de leurs meilleurs amis, qui dînait chez eux près d'une fois par semaine et qui, immanquablement le présentait ainsi : « Voici ma perle, le joyau de ma couronne... »

L'enveloppe qui inquiéta le plus Nathalie était siglée : « Ordre des médecins d'Indre-et-Loire. » Elle se réfugia dans la salle de bains pour la décacheter. Si l'on exceptait le « Cher confrère » abrité sous le mot CONVOCATION imprimé en gras, la lettre était encore plus sèche et menaçante que celle du directeur de la clinique. Elle intimait au chirurgien l'ordre de venir comparaître devant le Conseil un matin de septembre, à 8 h 45, juste après la fin des vacances. Cette lettre non plus, elle n'osa pas la montrer à son mari. Il y avait bien sûr la peur de la sanction, mais aussi quelques phrases qui auraient plongé Aurélien dans une grande colère : « Suite aux observations recueillies auprès du personnel médical de la clinique Ambroise-Paré après l'intervention que vous avez effectuée sur le patient Bazelaire Arthur le... »

Nathalie avait du mal à comprendre que tant de confrères de son mari aient pu témoigner, vraisemblablement contre lui, sans même qu'on ait encore entendu sa propre version. Elle sentait la meute se rapprocher, mue par ce goût du sang qui l'anime toujours quand les bêtes blessées ne sont plus protégées par le troupeau.

Les appels anonymes se multiplièrent, on raccrochait souvent quand elle répondait. Et puis un soir, juste après le dîner, une deuxième pierre brisa la vitre qui venait tout juste d'être réparée, puis une troisième, suivie d'une volée de cailloux. Dans l'œilleton de la porte d'entrée, Nathalie Desmaroux eu le temps de voir une voiture qui redémarrait à grande vitesse.

Au loin une voix retentit : « ASSASSIN ! »

À partir de là, Nathalie vécut transie de peur. Elle essayait de ne pas la communiquer à son mari mais elle avait bien observé qu'à une première période d'abattement avait succédé en lui une phase de grande fébrilité qu'il tentait d'apaiser de la pire des manières : un whisky à l'heure du déjeuner, un autre avant le dîner, un troisième juste avant de se coucher, tard dans la nuit, après une ultime réussite.

Aurélien s'était trouvé une autre occupation qui ne lui changeait guère les idées mais lui donnait un but : il se rendait chaque jour au cimetière. Il le faisait toujours précautionneusement, d'abord quand il sortait de chez lui; puis, à l'approche de la tombe, il empruntait des allées parallèles, faisant un détour pour arriver au carré où était enterré Arthur. Il restait ensuite à distance, ne s'avançant à

couvert qu'en terrain désert, lorsque nulle silhouette ne se signalait.

Le deuxième jour, arrivé suffisamment près de la
sépulture, il distingua le nom de famille d'Arthur :
Bazelaire. C'est ainsi que l'enfant prit définitivement consistance aux yeux du médecin. Il avait un
statut social, un patronyme. Maintenant, Aurélien
lui inventait une existence, une maison, des habitudes. Il le suivait à la sortie de l'école, l'envisageait
sautillant, rêvassant, comptant ses billes dans sa
poche, sonnant à la porte du domicile familial.
Sa mère ouvrait tout grands ses bras pour l'enfant
qui s'y précipitait... Et là, Aurélien fondait en larmes.

La même scène revint plusieurs fois dans sa tête,
jusqu'à la nausée. Il était là comme à une table de
montage, rembobinant, accélérant, ne sachant où
couper.

Un jour il réussit à ne plus pleurer et l'épisode
s'estompa.

C'est là que s'imposèrent à lui les yeux si clairs de
cet enfant. Un être innocent qui ne connaissait pas
le goût de l'alcool, ni la souillure des adultes, leurs
petites habitudes médiocres, leurs vices et la lâcheté
ordinaire qui les dissimule aux yeux de tous.

6.

Cet été-là, ils ne partirent pas en vacances, Aurélien n'en avait pas le cœur et Nathalie, contrainte de rendre visite à sa mère à Cabourg, ne s'absenta que trois jours pour ne pas laisser trop longtemps son mari livré à lui-même. Son agitation grandissante l'inquiétait. Le sommeil le quittait de plus en plus et au petit matin, vaincu par une nuit blanche, il affrontait ses journées, tel un lutteur qui sait par avance qu'il va perdre son combat.

Ce qu'il redoutait en premier lieu, c'était la convocation de l'ordre départemental des médecins. Nathalie avait fini par lui en parler. Il avait beau s'y préparer en ressassant ses arguments pour convaincre ses pairs, il était submergé par la honte, plus que par la culpabilité. Lui, Aurélien Desmaroux, le plus renommé des chirurgiens de Tours, allait se trouver mêlé à des margoulins à la petite semaine ou à des confrères coupables de dépassements d'honoraires et autres indélicatesses financières, alors que chacun savait que, sur ces sujets-là, jamais son éthique n'avait été prise en défaut. S'il ne manquait pas de faire payer des patients aisés au prix fort, il lui arrivait aussi d'opérer gratuitement des malades dans le besoin.

L'idée d'avoir à se justifier devant des médecins qu'il ne tenait pas tous en grande estime lui était insupportable. Et surtout que leur dire ? Qu'il avait pris ce matin-là un petit remontant pour oublier ses soucis matrimoniaux ? Qu'il recourait à cet expédient depuis près d'un mois et qu'il avait donc opéré des dizaines de patients dans les mêmes conditions, et sans problèmes ? Qu'il se connaissait suffisamment pour se contrôler et ne jamais risquer de dépasser ses limites ? À chacune de ses explications, on opposerait inéluctablement les résultats de sa prise de sang et son taux d'alcoolémie. Et l'opprobre lui collerait à la peau jusqu'à la fin de ses jours. Il passerait à jamais pour un alcoolique et un assassin...

La fin de ses jours, il y pensait beaucoup ces derniers temps. Outre la honte, un certain dégoût de soi s'immisçait en lui par tous les pores de sa peau. Cette réussite brillante aux yeux des autres avait été plutôt facile à conquérir. Il n'avait pas eu à se battre outre mesure. Plutôt bien né dans une famille aimante, et doté de ce qu'il est convenu d'appeler des facilités, il avait franchi aisément tous les échelons de l'ascension sociale. Il avait acquis les codes de ce milieu bourgeois sans trop se poser de questions ni avoir à forcer le destin.

Mais à quoi lui servaient tous ces atouts face au premier coup dur ?

Ce dégoût, de plus en plus envahissant, s'accompagnait d'un regard sans complaisance sur ce qu'il croyait être sa liberté sentimentale. Il n'y voyait plus qu'une légèreté trop facile elle aussi. À mesure qu'il multipliait les conquêtes extraconjugales, en choisissant sans se l'avouer des proies déjà prêtes à tomber dans son escarcelle, il baissait dans sa propre estime. Ces femmes, il les consommait le plus souvent aussi vite qu'il les abandonnait. Rares étaient celles qui lui avaient résisté ou l'avaient quitté... Étrangement, c'était d'elles qu'il gardait le souvenir le plus fort, même si chez lui tout était relatif et rien ne comptait vraiment.

Le dévouement dont Nathalie faisait preuve aujourd'hui, dans les heures sombres qu'il traversait, lui confirmait sans détour qu'il s'était comporté vis-à-vis d'elle comme un mufle. Plus elle se montrait généreuse et désintéressée, plus il se reprochait de l'avoir à ce point trompée. Ils n'en avaient jamais parlé frontalement. Il sentait bien qu'elle avait des doutes à ce sujet mais préférait s'en tenir là. Il essayait de la rassurer à sa manière, plutôt désinvolte – «Mais, ma chérie, elles me courent toutes après ! Si elles savaient, toi seule compte pour moi...» –, et, sitôt l'orage éloigné, il se laissait à nouveau déborder par ses pulsions coupables.

Mais aujourd'hui, cette existence poisseuse faite de petits arrangements médiocres lui répugnait. Il était déterminé à s'en débarrasser par tous les moyens. En attendant, c'est à une réalité de plus en plus oppressante qu'il se trouvait confronté.

La nuit, surtout. De longues nuits sans sommeil où, persuadé qu'on l'épiait et qu'il était à la merci d'une nouvelle agression, il sortait de chez lui le plus discrètement possible, échappant à la vigilance de Nathalie, pour inspecter les alentours, sans résultat. Personne ne s'y cachait. Mais toute menace n'en était pas pour autant dissipée.

Pour occuper son temps, alors que la ville était déserte, il déambulait dans les rues de Saint-Cyr et de Tours sans but précis, passait et repassait les ponts de la Loire, en regardant les eaux du fleuve s'écouler dans l'ombre avec une lenteur oppressante et impassible. Il écoutait leur murmure apaisant. Et si attirant à la fois.

Quand il réussissait à se dégager de la fascination qu'elles exerçaient sur lui, il reprenait sa marche sans davantage savoir où elle le mènerait, sinon vers ce néant qui définissait si bien sa propre existence. Ses pas le conduisaient parfois non loin de l'hôpital ou de la clinique, des lieux où il ne s'attardait pas et qu'il s'empressait de fuir désormais, parce qu'ils lui faisaient horreur.

Le cimetière était inaccessible à ces heures-là. Impossible d'y entrer comme il le faisait, de jour, pour aller rendre visite au petit garçon qui y reposait. Pourtant, à force d'en faire le tour, il avait fini par repérer une portion de mur qu'il pouvait escalader en prenant appui sur une pierre. Assis en tailleur sur le gravier mêlé à la terre encore fraîche, il interrogeait le jeune Arthur, comme s'il pouvait lui répondre, avant de se livrer à un questionnaire sur lui-même qui, au fil des nuits, devenait de plus en plus dérangeant. Aussi pathétique que ses difficultés à se lever, à retrouver une démarche alerte. Il se découvrait maintenant des gestes de petit vieux, mal assurés.

Au retour de ses pérégrinations, il longeait le plus souvent les quais de la Loire, butant parfois sur les pavés quand la nuit était trop noire. Une fois ou deux, il se retrouva genou à terre, et se dit alors que si la chute l'avait entraîné du côté du fleuve il n'aurait opposé nulle résistance : il se serait laissé couler. Mais il n'avait pas assez de courage pour le faire de lui-même, alors que la fin salvatrice dans les eaux noires était à portée de main.

Cette irrésolution en toute chose lui était insupportable. Il s'était peu à peu transformé en chiffe informe, aussi fripée que ses vêtements. Quand il rentrait chez lui à l'aube, il ne se donnait plus la peine de les plier comme naguère, il les jetait en boule dans un coin de la chambre avant de s'écrouler sur le lit maintenant déserté par Nathalie. Trois semaines après le drame, sa femme, excédée par son comportement, avait fini par faire chambre à part pour le laisser libre d'aller et venir comme il l'entendait.

Elle n'avait pas porté de jugement sur ce qu'il avait fait le matin de l'opération fatale. Pour elle, c'était davantage une affaire d'irresponsabilité que de culpabilité. Quoi qu'il en soit, elle considérait que le devoir d'un couple est d'être solidaire dans l'épreuve. Elle n'avait pas oublié qu'Aurélien avait su être là, au tout début de leur mariage, quand elle avait perdu l'enfant qu'elle attendait. Il l'avait entourée de mille attentions, et depuis lors elle se reprochait de ne pas avoir réussi à lui donner une descendance. Voilà pourquoi elle fermait les yeux sur ses écarts qu'une bonne partie de la bourgeoisie tourangelle se plaisait à commenter. Elle ne semblait pas s'en offusquer outre mesure. Elle s'y était habituée, sans beaucoup s'en préoccuper. Elle s'était elle-même laissée aller à deux ou trois aventures sans lendemain qui lui avaient permis de se considérer comme une femme libre, dans un couple libre.

Mais ce qu'elle ne tolérait plus ces derniers temps, c'était l'avachissement de cet homme qu'elle avait toujours admiré, par-delà tous ses défauts. Elle détestait non pas son abattement, dont elle comprenait fort bien les raisons, mais ce renoncement qui ne lui ressemblait pas. Ce qu'elle aimait jusqu'alors chez Aurélien, c'était son audace, son panache de hussard, son refus d'abdiquer, sa façon de foncer sabre au clair pour défendre les causes parfois les plus désespérées. Aujourd'hui, c'était sa propre cause qu'il tenait pour perdue avant même de se battre pour sauver son honneur. Tout en lui concourait à cet abandon en rase campagne. Il avait en quelque sorte hissé le drapeau blanc d'entrée de jeu et elle n'aimait pas son allure de vaincu.

7.

La vie d'Aurélien s'écoulait, avec une saveur âcre.

Il passait désormais le plus clair de ses nuits et de ses journées au cimetière ou sur les quais de la Loire.

L'été finissait et Saint-Cyr se repeuplait. Des amis, ceux des temps glorieux, revenaient de vacances. Deux ou trois d'entre eux tentèrent de reprendre contact avec lui. Il ne leur répondit pas. Il se cachait. «Je fais le mort», avait-il un jour osé dire devant Nathalie avant de se rendre compte de ce que cette formule avait d'odieux en pareilles circonstances.

Il décida de limiter ses sorties en plein jour, afin d'éviter de faire des rencontres qu'il ne souhaitait pas. Mais un après-midi où il n'avait pas résisté à l'attraction du cimetière, il s'exposa à un incident qui le marquerait durablement.

C'était à la sortie, juste devant les grilles qui allaient se refermer sur le dernier visiteur. Il avait l'habitude de ces moments suspendus, où la chaleur retombait et où il retrouvait quelques forces.

Depuis l'enfance il en avait toujours été ainsi : à la tombée de la nuit il se reprenait à croire en lui-même et à échafauder de nouveaux projets, comme emporté par un regain d'ambition. Mais là, en ce dernier jour du mois d'août, c'était tout l'inverse : un cri avait suffi à le plonger encore plus bas qu'il n'était déjà.

— Salopard ! Hors d'ici !

Embusqué derrière le portail, un homme l'avait empoigné par le col pour le traîner hors du cimetière. Cet homme devait l'attendre depuis quelque temps, leur rencontre n'avait rien de fortuit.

— Vous n'avez rien à faire ici ! hurlait-il. Vous êtes chez Arthur. C'est à cause de vous qu'il est là. Dehors ! Fichez le camp !

Aurélien avait tout de suite reconnu cette voix. C'était la même qui l'avait apostrophé à l'église, le jour de l'enterrement du petit garçon : celle de son grand-père paternel.

Aurélien essaya de se dégager de l'emprise de cet homme en colère, à qui il ne savait quoi dire. Tout au plus eut-il la force d'affronter, en se retournant, ce regard plein de haine et de dégoût.

Décomposé, il faisait face à son agresseur, mais sans trouver les mots pour lui répondre. Il se sentait vide, impuissant. Comment lui expliquer qu'il avait bu le verre de trop, au mauvais moment ? Que rien n'allait plus dans sa propre vie naguère si brillante ? Mais au moins vie il y avait... Lui dire qu'il allait se recueillir nuit et jour sur la tombe d'Arthur? C'est précisément ce que le grand-père lui reprochait.

— J'ai bien observé votre manège, lui criait-il. Ce n'est pas comme ça que vous vous rachèterez! En tous cas, pas à nos yeux. Vous n'êtes qu'un faiseur. À votre place, je raserais les murs. Et je quitterais la ville. Dehors, assassin!

Aurélien n'avait pas répliqué. Il restait là, debout, le visage dégoulinant de sueur, flasque comme s'il attendait de recevoir des coups. Pour mieux se fustiger, pour mieux se détester. Il n'avait besoin de personne pour se juger, mais ce rappel à l'ordre lui sembla plus que jamais nécessaire. Désormais il était fixé sur ce qu'il lui restait à faire.

Rentré chez lui, Aurélien ne dit rien à Nathalie de l'incident. Pour la première fois, il venait de toucher du doigt la honte et ses déclinaisons. Jusqu'alors il était encore dans l'esquive et le déni de ce qui pouvait lui rappeler le point de départ de sa déchéance. Conscient de la tragédie qu'il avait provoquée, il se réfugiait néanmoins derrière un paravent de fausses justifications ou de petits arrangements avec la vérité. Il essayait de se trouver des excuses, de s'apitoyer sur son sort, blessé dans son ego, sa vanité, alors qu'il n'était pas le mieux placé pour se faire plaindre ou invoquer sa souffrance. Sa douleur n'était rien par rapport à celle qu'il avait infligée à d'autres. La honte était le seul sentiment dont il devrait se contenter. Le seul dont sa vie désormais serait faite, s'il était encore capable de vivre.

Il s'enferma dans son bureau et sortit d'un tiroir une lettre à en-tête. Elle était destinée à l'ordre des médecins... Pas facile à écrire. Comment expliquer à ses pairs qu'il n'avait aucune envie de venir s'expliquer devant eux dans huit jours, puisqu'il n'y avait plus rien à justifier? Après avoir tenté plusieurs formules, il finit par opter pour la plus simple et la moins courageuse : «Messieurs, chers confrères, je ne suis pas en état de me présenter devant vous. Je ne demande ni report ni indulgence particulière. Sanctionnez-moi comme vous l'entendez en conscience...»

Il n'ajouta aucune formule de politesse, juste sa signature. À ses pairs d'apprécier s'il s'agissait d'une ultime preuve d'orgueil ou de lâcheté, d'une simple dérobade ou d'un aveu de faiblesse. Il s'en remettait à leur jugement, dont il n'avait plus rien à attendre qu'une sanction logique et définitive.

Lorsqu'il déposa son enveloppe dans la boîte aux lettres, il se sentit comme soulagé. Pour la première fois, après un mois de tergiversations, il avait enfin pris acte de la situation telle qu'elle était, tout en refusant de l'affronter jusqu'au bout.

Son répit fut de courte durée. Peu avant la date annoncée de la convocation, il reçut le coup de téléphone d'un ami. Un juge qu'il fréquentait au Rotary de Tours. Dans un premier temps, il crut bon de se réjouir à l'idée qu'on ne l'avait pas complètement abandonné. Mais il eut vite fait de déchanter. Son interlocuteur ne l'appelait pas pour lui témoigner un quelconque réconfort, mais pour lui annoncer que, dans les couloirs du palais de justice, il venait d'apprendre l'ouverture d'une information judiciaire à son endroit. Les parents du petit Arthur avaient porté plainte contre la clinique pour cause de négligence. Immanquablement, lui confirma le magistrat, l'établissement allait se retourner contre lui. C'était la procédure habituelle en pareilles circonstances.

Aurélien raccrocha après avoir simplement bredouillé quelques mots de remerciements, sans questionner davantage son ami. Anéanti et saisi d'une terreur incontrôlable, il ne vit plus qu'une issue possible : s'enfuir.

Il n'osa même pas avertir Nathalie de ce qu'il venait d'apprendre. Elle le saurait bien assez tôt par le courrier qui suivrait, annonçant l'enquête et l'audition dont il allait faire l'objet. Il se voyait déjà entendu par la police et convoqué au tribunal. «Si tu refais une bêtise, menaçait sa mère quand il était enfant, tu finiras en correctionnelle!» Toute la journée il resta terré dans sa chambre et, le soir venu, il se résolut à quitter Tours sans prévenir Nathalie. Ils dînèrent ensemble, encore plus silencieusement que d'habitude et, à la fin du repas, il se pencha vers elle pour murmurer à son oreille :

— Tu sais, je ne vais pas bien.

Elle le regarda avec des yeux attendris, pour la première fois depuis deux semaines.

— Je le vois bien. Aie confiance, tout va finir par s'arranger, lui dit-elle pour tenter de le rassurer

Aurélien esquissa un pauvre sourire et alla se réfugier dans sa chambre.

Il attendit que Nathalie soit montée se coucher et qu'il n'y ait plus aucun bruit dans la maison pour se mettre à rassembler ses affaires. Il choisit de n'emporter que les livres qui comptaient pour lui ou les objets qui lui rappelaient des moments de bonheur. Il délaissa tout ce qui évoquait ses heures de gloire, à commencer par ses cravates, qui naguère faisaient sa fierté et soudain lui parurent aussi dérisoires que les autres insignes d'une vie de convenances et de faux-semblants, désormais révolue.

Il rangea ce qu'il emportait de vêtements, de lettres, de photos et de livres dans une valise qui n'avait rien d'imposant et suffisait à résumer sa minuscule existence. Et il s'assit quelques instants à son bureau pour rédiger un bref mot d'adieu à Nathalie : «Je t'aime mais je n'aime plus la vie.»

Puis il quitta sa chambre et son domicile sur la pointe des pieds. Il fut tenté de jeter les clés de la maison afin de ne plus risquer d'y revenir, mais il se reprit à temps. Il poussa lentement sa voiture sur une trentaine de mètres pour éviter d'alerter son épouse, puis il enclencha le contact sans même savoir où il allait. Tours était maintenant derrière lui, sa vie dorée aussi.

Ce n'est qu'en longeant les quais de la Loire qu'il opta pour une destination. Il se dirigerait vers le sud, plus précisément vers le bassin d'Arcachon.

Jadis il y avait vécu des jours heureux chez des amis qui lui étaient chers : Florence et Daniel, qui y menaient une vie droite et sans écarts, et, de l'autre côté du bassin, au Cap-Ferret, Laurence et Philippe, tout aussi proches de lui, qui formaient eux aussi un couple exemplaire. À l'exception de Florence, qui parfois s'amusait à le taquiner gentiment sur ses multiples aventures, ses amis, sans arriver à en comprendre la raison, ne lui posaient jamais de questions sur les errements de sa vie sentimentale. Ils l'acceptaient comme il était et se contentaient de le regarder tel un hurluberlu plutôt divertissant. Ils ne le jugeaient pas, ils l'entouraient des prévenances qu'on réserve à un ami. Et c'est de cela qu'il avait le plus besoin, tandis qu'il roulait sous une pluie battante qui lui bouchait la vue.

Il avait des envies d'accident, d'en finir, d'en rester là. Mais il continuait d'avancer à toute allure dans la nuit, vers un ailleurs si peu prévisible. Deux ou trois fois, il freina un peu tard à l'approche d'un camion qu'il lui fallut doubler sur l'autoroute. Mais il n'avait pas bu ce soir-là ; il conservait encore quelques réflexes de survie qui l'incitaient malgré lui à ne pas céder à ses idées noires.

La pluie se calma.

Aurélien y vit un signe apaisant, un encouragement à poursuivre sa route, malgré le remords qui le tenaillait. Un encouragement à vivre, ne serait-ce que pour payer sa dette.

Vers deux heures du matin, il s'arrêta sur une aire d'autoroute. Le bitume luisait encore. Dans les poids lourds à l'arrêt, on trafiquait ou on essayait de dormir. Les nuages couraient derrière la lune... et Aurélien se reprit à espérer. Tout ne s'arrêterait pas cette nuit-là. C'eût été une fin trop dérisoire.

8.

Lorsqu'il arriva en approche de Bordeaux, l'aube commençait déjà à poindre. Ses paupières étaient lourdes. Il décida de s'arrêter dans le premier hôtel venu, tout près de l'autoroute. C'était un établissement banal, impersonnel et bon marché. Aurélien se laissa tomber sur son lit presque tout habillé. Il n'avait ôté que sa veste et l'avait abandonnée à même la moquette comme c'était devenu son habitude.

Il se réveilla en fin de matinée et jugea qu'il était trop tard pour se raser. Il se dit qu'il valait mieux ménager sa peau pour éviter qu'elle ne soit trop irritée le lendemain. C'était le genre de petites précautions dérisoires, de calculs insignifiants sur lesquels il se focalisait pour mieux oublier, l'espace d'un moment, les soucis qui l'accablaient.

Il se préparait à sortir pour déjeuner rapidement quelque part lorsqu'il reçut sur son portable un énième message de Valérie, la jeune femme qui attendait un enfant de lui. Le ton était à la fois suppliant et menaçant. Depuis un mois, elle ne faisait aucune référence aux autres ennuis d'Aurélien, comme si elle n'était pas au courant. Mais elle ne se privait pas, en revanche, de l'avertir du cataclysme qui allait s'abattre sur lui s'il persistait à ne pas lui répondre. Le chantage était sans ambiguïté : s'il continuait à l'ignorer, elle n'hésiterait pas à révéler publiquement sa lâcheté. C'était bien le moment...

Un instant, Aurélien eut la tentation de se débarrasser de son téléphone en le jetant dans le caniveau, comme si cela pouvait suffire à le mettre à l'abri de catastrophes à venir. Or ce n'était qu'une preuve supplémentaire de son manque de courage, de son incapacité à assumer les conséquences de ses actes. Il se contenta d'effacer le message comme il l'avait fait des précédents, pour éviter que Nathalie ne puisse éventuellement les découvrir. Mais son portable se remit à sonner. C'était maintenant un numéro inconnu qui s'affichait. Redoutant le pire, il préféra là encore ne pas décrocher et opta finalement pour la solution qui lui parut la plus commode : il éteignit son appareil.

Coupé du monde, Aurélien allait devoir s'en créer un nouveau. Il prit la décision de ne pas rejoindre tout de suite ses amis d'Arcachon et d'attendre ici quelque temps. Sa vie, c'est à Bordeaux qu'il voulait commencer de la reconstruire. Dans l'anonymat d'une grande ville.

Changer de vie... Il était désormais obsédé par ce désir de tout effacer, pour tout reprendre de zéro. Une existence qui se termine par le pire des ratages, ça ne se rattrape pas, ça ne se retord pas dans le bon sens. Il faut faire table rase du passé, s'en débarrasser jusque dans les moindres détails.

Il commença par extraire de sa valise ses vêtements de bon bourgeois tourangeau qui lui faisaient maintenant horreur. Il ne garda qu'un pull en cachemire qui lui rappelait de bons souvenirs et enferma tout le reste dans un sac en plastique qu'il alla lui-même déposer dans un grand container. Puis il entreprit de s'acheter un nouveau portable, deux jeans, quatre chemises et un blouson. Pas de veste : c'eût été comme si son ancienne vie lui collait encore à la peau.

Il se sentit plus jeune et presque neuf dans ces nouveaux habits. Il se regarda furtivement dans une glace, et se prit à ne pas détester le visage buriné, mal rasé, qu'elle lui renvoyait comme si l'épreuve qu'il était contraint d'affronter fortifiait déjà son caractère, lui donnait une colonne vertébrale qu'il n'avait pas jusqu'alors.

Très vite pourtant, sa mélancolie le ressaisit, avec son flot de craintes, de doutes et d'incertitudes. Il ne savait pas vraiment quoi faire de ce nouveau départ. Et c'est presque mécaniquement qu'il se mit en chemin. Sans qu'il l'ait aucunement prémédité, mais comme s'il s'agissait là d'une destination logique, à laquelle il ne pouvait échapper, ses pas le conduisirent devant un immense établissement, le CHU de Bordeaux, qu'il connaissait pour y avoir, naguère, donné des conférences sur sa spécialité. Il rôda aux alentours, se protégeant pour éviter de rencontrer l'un de ses confrères. Mais il ne put s'empêcher d'entrer dans le service de chirurgie infantile. Dans le couloir, il croisa un charriot transportant une petite fille qu'on allait opérer et cette vision le bouleversa. Il détourna le regard, s'assit pour pleurer, la tête entre les mains.

— Vous aussi, vous attendez ?

C'était un jeune couple inquiet qui venait de lui poser la question. Il ne sut que répondre.

— Vous avez un enfant là, vous aussi ? insista l'épouse en désignant l'espace mystérieux qui se cachait derrière la porte à double battant.

Pour ne pas avoir à s'expliquer sur les raisons de sa présence en ces lieux, Aurélien préféra s'enquérir de leur situation. La femme et son compagnon étaient les parents de la fillette qu'on venait d'envoyer au bloc opératoire.

— C'est la troisième fois que nous venons. Et, à chaque fois, on nous dit que c'est l'opération de la dernière chance. Il faut croire qu'elle doit en avoir, de la chance, parce qu'elle s'en sort toujours. C'est notre petit ange et elle a du courage pour nous trois.

Aurélien les interrogea sur la maladie dont elle souffrait, et comme il la connaissait très bien, il sut trouver les arguments pour les rassurer. Au fond de lui, il n'était pas aussi catégorique, mais il se sentait beaucoup plus persuasif que s'il avait lui-même conduit l'opération. Mû par un élan de sollicitude, il se redressa brusquement de son siège et posa l'une après l'autre ses mains sur les épaules des deux parents.

— Elle s'en tirera, j'en suis sûr. Vous avez ma parole d'homme, leur déclara-t-il un peu solennellement.

La femme et son compagnon se regardèrent puis levèrent sur lui des yeux pleins de confiance et de gratitude.

— Merci, monsieur, on ne sait pas ce qui vous donne cette assurance, on ne sait même pas qui vous êtes, mais on ne vous oubliera pas.

Aurélien s'éloigna, non sans se retourner vers eux au moment de quitter le service pour leur adresser, le pouce tendu, un signe de victoire. Il avait conscience d'en faire trop, de se montrer un peu trop théâtral. Mais c'était aussi à lui que ce signe s'adressait, conscient pour la première fois depuis des semaines d'avoir été enfin utile à quelqu'un.

C'est alors qu'il eut l'idée d'aller faire un tour du côté du local qui proposait, comme dans chaque hôpital, des activités pour les parents et les enfants. Son attention fut attirée par une petite affichette qui vantait les mérites des «Nez rouges». Il s'agissait d'un regroupement de médecins et d'étudiants qui se déguisaient en clowns pour offrir des spectacles aux enfants hospitalisés. La plupart du temps, les petits malades étaient en chambre stérile ou en phase terminale d'un cancer. Chaque fois qu'il avait assisté à ce genre de fête, Aurélien en était ressorti la gorge nouée. Car les enfants riaient, innocemment, comme si rien de grave ne pouvait plus leur arriver...

Aurélien nota le numéro des « Nez rouges » et inaugura pour le composer le portable qu'il venait d'acheter. Il eut à cet instant le pressentiment qu'une vie nouvelle s'ouvrait à lui. Il prit rendez-vous sous un nom d'emprunt.

La jeune femme qui le reçut était infirmière. Il ne put s'empêcher de la trouver très attirante. C'était la première fois depuis le drame qu'il ressentait un soupçon de trouble, tant il avait perdu jusqu'au moindre désir. Là, il avait soudain l'impression de renaître, mais pas au point d'afficher quelque envie de conquête. Ce qu'il souhaitait avant tout, durant cette minute de doux flottement, c'était de pouvoir prendre part aux activités des « Nez rouges ».

Il se porta candidat et fut aussitôt engagé. Visiblement, les embauches étaient faciles, les volontaires n'étant pas nombreux. Il se présenta comme un médecin en congé pour raisons de santé, résidant dans la région pour une durée d'un mois environ. On ne chercha pas à en savoir davantage sur lui. Tout au plus lui suggéra-t-on un stage d'une demi-journée pour apprendre les rudiments du métier. Le plus tôt sera le mieux, avait-il répondu. Ce fut dès le lendemain. Par chance, la formatrice était la jolie infirmière, ce qui plut à Aurélien et lui donna du cœur à l'ouvrage. Il n'avait pas de prédispositions particulières à devenir un amuseur public, son humour à froid faisait mouche dans les dîners, mais ce n'était pas la qualité requise pour un clown chargé de divertir des enfants hospitalisés... En revanche il constata que le nez rouge lui seyait à merveille et il se prit à sourire lorsqu'il entrevit son nouveau visage dans le reflet d'un miroir.

9.

Quand il pénétra pour la première fois dans la chambre, il eut un mouvement de recul. Non pas tant que la vision de cet enfant malade, allongé sur son lit, l'ait effrayé – toute sa vie il en avait côtoyé, des plus atteints, des plus perdus –, mais parce que son regard lui rappelait celui d'Arthur : la même confiance en l'adulte qui sait, le même espoir en une vie débarrassée de la maladie et de ses miasmes.

Bastien était le premier patient auquel il aurait affaire dans sa nouvelle activité de clown. Isabelle, sa formatrice, l'avait précédé dans la chambre pour préparer le terrain, les mettre à l'aise, autant lui que l'enfant. Bon public, il ne mit pas longtemps avant de rire aux éclats à la première pitrerie d'Aurélien. Pourtant, une fraction de seconde plus tard, son visage reprit une gravité qui aurait glacé le plus insensible des clowns. D'où venait cette douleur qui paraissait chez lui si ancienne, si profonde ?

Aurélien dut dépenser beaucoup d'énergie pour redonner un peu de joie et de gaieté à ce visage soudain si triste. Il fit semblant d'embrasser Isabelle en ratant chaque fois sa cible du fait de son nez qui l'en empêchait. Le numéro amusa l'enfant pendant quelques instants. Aurélien eut aussi l'impression qu'il ne laissait pas insensible sa partenaire, laquelle lui parut réceptive à ses approches aussi maladroites que troublantes. Un agréable désir le traversa. Il n'eut aucune honte de l'éprouver face à un petit malade qui aurait pu être leur fils. Il se dit simplement qu'il avait réussi son examen de passage, tant vis-à-vis d'Isabelle que de Bastien.

Il quitta la chambre avec la satisfaction du devoir accompli, car les rires de l'enfant l'avaient rassuré. Mais quand il voulut revenir sur ses pas pour lui adresser un ultime baiser, il fut frappé, en rouvrant la porte, par cette mine sombre qui l'avait déjà tant bouleversé. Le revoyant, Bastien s'efforça d'esquisser un pauvre sourire, qui ne pouvait guère faire illusion.

Le lendemain, Aurélien demanda à revoir le petit cancéreux au teint blême, mais Isabelle refusa de déroger aux règles que les «Nez rouges» s'imposaient : pas plus de deux fois par semaine pour chaque enfant. Il attendit donc et en profita pour perfectionner ses aptitudes auprès de nouveaux malades. Il prenait goût à ses clowneries tout autant qu'à celles de sa partenaire. Et visiblement, elle aussi s'entendait bien avec lui, si bien qu'une certaine complicité commençait déjà de s'établir entre eux deux. Leur duo se rôdait et leur attraction se renforçait.

Au troisième jour, on le flanqua d'une autre acolyte : une étudiante en sixième année de médecine avec laquelle il ne se sentit aucune affinité. Mais peu lui importait puisqu'il savait que dès le lendemain il reverrait Isabelle et surtout Bastien.

En attendant, il proposa à Isabelle de dîner avec lui. Elle ne pouvait ou ne voulait pas. Il se retrouva donc seul comme les trois soirs précédents, dans une brasserie sans charme où il prenait des habitudes de vieux garçon. Jamais auparavant il ne s'était complu dans pareille solitude. Il lui fallait sans doute remonter à sa première année d'études à Paris, rue des Saints-Pères, quand il était venu apprendre la médecine dans la capitale pour éprouver cette sensation d'isolement qu'il ne détestait pas, qu'il avait même tout fait pour entretenir, mais qui le renvoyait à un état d'adolescence, d'entre-deux.

Il tournait et retournait son verre de bordeaux. Et à travers ces remous, il revoyait sa vie défiler en accéléré. Il n'arrivait pas à lui trouver de charme même si elle lui manquait par bribes, comme le confort des jours anciens. Pourtant, très vite remontait en lui le souvenir d'une existence en porte-à-faux, faite d'inutiles afféteries, de petites vanités, de mensonges dérisoires et de coucheries sans lendemain. Seule Nathalie en réchappait parce qu'elle était solide et ne lâchait jamais rien, mais il n'avait plus besoin d'elle désormais. Il lui fallait maintenant de grands espaces inconnus, des déserts ardus, des plongées en apnée. Plus rien ne comptait que l'instant présent et ses rendez-vous du lendemain avec une jeune femme qui lui rappelait que naguère, c'est-à-dire il y a deux mois à peine, il savait encore séduire, et un petit garçon aux yeux perdus dans des orbites sans fond.

Cette nuit-là, il dormit par à-coups. Repenser à tout cela lui fournissait des apaisements qu'il avait jusqu'alors du mal à trouver.

Il ne ressentit pas le lendemain chez Isabelle la même chaleur qu'il avait cru déceler l'avant-veille. Il lui sembla même qu'elle l'évitait et qu'elle se gardait de toute approche trop tactile. Bastien en revanche lui fit fête.

Quand ils entrèrent dans la chambre, l'enfant était en train de se mordre la lèvre. Était-ce une angoisse, une douleur furtive ? Il se reprit en voyant apparaître « ses » clowns préférés. Cette fois-ci, ils avaient décidé de lui réciter une fable de La Fontaine, *La Grenouille et le Bœuf*. Isabelle jouait la grenouille et se gonflait d'importance pour essayer d'atteindre les proportions de son partenaire. Elle faisait beaucoup rire Bastien et, par ricochet, Aurélien. Il éprouvait la plus grande difficulté à garder son sérieux et s'embrouillait en lisant son texte. Sa lecture était entrecoupée de hoquets, et l'histoire ne fut plus pour les trois compères qu'un prétexte à des rires en cascade.

Aurélien s'aperçut alors que c'était la première fois qu'il riait depuis deux mois et, comme si cette gaieté retrouvée l'aidait à reprendre confiance en lui, il se jura de se battre de toutes ses forces pour que cet enfant-là continue de vivre. C'était devenu une obsession...

Très vite cependant, il fut rattrapé par ses démons. Il lui semblait que le rictus du petit Arthur se confondait avec celui de Bastien à leur arrivée dans sa chambre. Mais pour la première fois, là encore, il réussit à tenir tête à ces puissances maléfiques qui l'aspiraient vers l'abyme. À de mauvaises pensées il opposa son irrésistible envie de vivre, d'aimer, de s'étourdir à nouveau... Il regardait la grenouille et oubliait l'enfant. Il fixait Isabelle de si près qu'il avait la délicieuse sensation de lui imposer son désir, sans solliciter son consentement. La grenouille semblait tétanisée. Elle se laissait approcher sans mot dire. Aurélien jouait de la fable comme d'un alibi pour mener son jeu de séduction. Lisant le texte par-dessus l'épaule de sa partenaire, il faisait mine de ne pas pouvoir le déchiffrer et passait la tête alternativement de droite à gauche en frôlant la joue d'Isabelle.

Elle le laissait faire. Alors il poussa son avantage et son torse effleura la poitrine de l'infirmière. Il eut le sentiment d'entendre battre son cœur dont le rythme s'accélérait. Il la frôlait plus souvent qu'il ne l'évitait et elle ne bougeait toujours pas.

Quand il cessa son manège, elle resta silencieuse et comme offerte. L'enfant riait. Aurélien n'éprouva aucune honte d'avoir détourné la situation à son profit. Il était redevenu chasseur.

Isabelle et Aurélien restèrent longuement au chevet de l'enfant après avoir épuisé leur numéro de comique puis de charme. L'un et l'autre lui tinrent la main comme pour y faire passer un philtre magique. Ils en étaient sûrs, leurs ondes réunies traverseraient le corps du petit malade, et l'aideraient à guérir. Lui ne disait rien ; il portait son regard de l'un à l'autre avec un sourire d'espoir qui les remplissait d'émotion. Puis, comme s'il avait voulu leur signifier qu'il était temps pour lui de se reposer, il relâcha son étreinte et croisa ses bras sur son maigre thorax.

— Vous reviendrez jeudi ? C'est promis ?

Ils le lui promirent.

Quand ils se retrouvèrent tous deux dans le couloir, aucun d'entre eux n'osa briser la glace. Isabelle se résolut à lui prendre la main, puis à l'entraîner à sa suite.

Dehors, un petit vent automnal vint les saisir. Ils marchèrent sans rien se dire et c'est lui, cette fois, qui s'empara de sa main.

Elle se laissait guider et il aimait ça. Parvenu dans sa chambre d'hôtel, il éteignit la lumière et enlaça Isabelle comme il l'avait fait un peu plus tôt à l'hôpital. Il reprit, pour rire, sa lecture de La Fontaine : « Une grenouille vit un bœuf / Qui lui sembla de belle taille... »

Mais elle l'empêcha de continuer en l'embrassant à pleine bouche. Il ne s'était pas trompé, le désir de la jeune femme était au moins aussi fort que le sien. Il la déshabilla sans hâte puis la fit basculer sur le lit.

10.

Il redoutait l'instant d'après. Celui des abandons, des confidences. L'avait-elle pressenti ? Elle ne lui posa aucune question. Il n'eut pas besoin de s'inventer un passé. Il n'aurait pas aimé commencer une nouvelle relation par un mensonge. Car il avait le désir que cette histoire se poursuive, fût-ce un peu. Isabelle lui redonnait une confiance en soi qui l'avait déserté depuis des semaines Il lui communiqua son numéro de téléphone, qu'il ne connaissait pas encore par cœur. La mémoire de son portable était vierge. C'était pour lui comme le signe d'une vie à venir qu'il s'interdisait de brusquer, par crainte de la gâcher.

Isabelle ne resta pas dormir à ses côtés. Sans doute avait-elle sa propre vie – il ne voulait pas le savoir, peut-être d'ailleurs préférait-il qu'elle ne fût pas libre. Il n'avait pas envie d'un nouveau fardeau, encore moins d'encombrer l'existence d'un être qui n'aurait que faire de ses doutes et de ses errances. Mais si elle avait souhaité rester dans son lit, il l'y aurait accueillie sans déplaisir, à l'inverse de tant et tant de ces aventures passagères où la gêne s'installe si vite après l'amour. Dormir tranquille, sans questions ni échanges décevants. Combien de fois avait-il prétexté une opération au petit matin pour terminer seul sa nuit, loin d'une femme qu'il désirait pourtant si fort une heure auparavant ?

Là, c'était différent. D'abord, Isabelle faisait très bien l'amour, et elle était très douce, comme sa peau. Rien ne le rebutait chez elle, elle était faite pour les caresses. De surcroît, elle ne prononçait aucun mot, aucune phrase inutile. Pas d'exubérance, pas davantage de logorrhée après l'amour. Certains épanchements pouvaient tout gâcher, il aimait le silence, celui des corps qui s'apaisent, des bouches qui se cherchent...

Isabelle n'avait rien dit quand il avait entrepris de la séduire dans la chambre de Bastien, rien non plus quand il l'avait incitée à le suivre, puis entraînée chez lui. Rien encore en le quittant. Comme si elle aimait qu'on fasse les choix à sa place, et que son acceptation devait être tacite. Mais il ne la prenait pas pour une femme facile. Au fond, il ignorait tout d'elle et cette situation lui convenait. Aurélien adorait les femmes qui savaient rester mystérieuses.

Pour la première fois depuis bien longtemps sa nuit ne fut pas peuplée de fantômes. Il ne dormit pas davantage que les semaines précédentes, mais il n'eut pas à s'en plaindre... Isabelle revenait souvent dans ses pensées et, à travers elle, des pulsions, des désirs dont il retrouvait la saveur. Il eut envie d'elle à nouveau au petit matin, puis finit par trouver le sommeil.

Le lendemain, il se leva presque guilleret et décida d'aller réconforter le petit Bastien.

— Vous êtes de la famille?, lui demanda l'infirmière en chef lorsqu'il se présenta à l'hôpital. Il ne peut pas recevoir de visites en ce moment.

Aurélien lui montra sa carte de médecin. Il fut autorisé à pénétrer dans la chambre de l'enfant qui paraissait, en effet, encore plus fatigué que d'habitude. Bastien ne le reconnut pas de prime abord puisqu'il était entré sans son nez rouge. Quand il se rendit compte que c'était « son clown » qui lui faisait face, un éphémère sourire illumina son visage. Mieux que des mots, ses yeux lui dirent merci. Aurélien lui prit la main et entreprit de le faire parler. Bastien en était déjà à son troisième séjour à l'hôpital. Celui-ci s'éternisait : près de six mois. Une prolongation qui ne présageait rien de bon. Même si ce n'était pas sa spécialité, Aurélien possédait des notions d'oncologie. Il avait souvent opéré des petits cancéreux chauves, d'un courage incroyable, mais leur flamme s'éteignait à l'aube comme celle d'une bougie.

Il lui promit de revenir le lendemain. Il demanda à Bastien de faire semblant de ne pas le reconnaître quand il aurait son nez rouge puis il fit demi-tour pour se rasseoir à son chevet.

— Oublie ce que je viens de te dire. Il ne faut jamais mentir dans la vie. Quand tu me reverras en clown, tu feras comme bon te semblera.

— Alors monsieur, puisque ce n'est pas bien de mentir, réponds-moi franchement. Quand est-ce que je vais mourir ?

Aurélien ne s'attendait pas à se trouver à ce point décontenancé. Il réussit non sans mal à se ressaisir.

— Mais qu'est-ce que tu me chantes ? s'étonna-t-il. On ne meurt pas quand on est enfant. On meurt quand on est vieux.

— Ce n'est pas vrai, monsieur. Mon tonton, qui était le petit frère de ma maman, est mort l'année dernière et il n'était pas vieux.

— Mais comment est-il mort ?

— Dans un accident de la route.

— Tu vois. Tout le monde peut mourir dans un accident, les jeunes, les vieux, mais les enfants ne meurent pas de maladie.

— Ce n'est pas vrai, monsieur.

C'était la deuxième fois que Bastien lui répondait de la sorte, mais là il regardait Aurélien dans les yeux.

— Il y a une petite fille qui est morte il y a quelques jours pas loin d'ici dans ce couloir, ajouta-t-il. Je sais, j'ai tout entendu.

— Il y a toujours des exceptions à une règle, crois-moi. Je ne sais pas de quoi elle est morte, mais je peux te dire que toi, tu vas bien. Tu vas même de mieux en mieux.

— Et donc je ne vais pas mourir ?

— Bien sûr que non. Je m'y connais, je suis médecin. Tu peux me faire confiance.

— Je peux te faire confiance ?

— Oui. Si tu veux, je vais cracher par terre. Pour que tu me croies.

— Ça ne se fait pas. Ce n'est pas propre, lui rétorqua Bastien.

Ils rirent tous deux de bon cœur.

Aurélien quitta la chambre passablement secoué. Il avait jusqu'alors l'habitude, en tant que chirurgien, de traiter avec la souffrance, et parfois même avec la mort, et de savoir les conjurer habilement. Quand il parvenait à sauver un enfant qu'on lui avait présenté comme inopérable, il était d'abord envahi d'une satisfaction personnelle qu'il se gardait bien de révéler, tant il en était peu fier. Il ne pensait qu'en second lieu au petit rescapé. Mais tout cela était derrière lui. Le médecin ici avait laissé place à un confident, un spectateur qui se sentait plus impuissant et n'avait aucune raison de triompher.

Sa détresse lui paraissait bien dérisoire au regard de ce qu'avait pu vivre Arthur et de ce qu'endurait Bastien. Ces derniers temps, quand il repensait à Arthur, il était obsédé par la vision de son corps se décomposant dans la tombe. Il lui semblait que cette lente dégradation était aussi de sa faute, comme s'il fallait que tout soit flétri en lui. Plus qu'à celui de l'enfant, c'était une fois de plus à son propre sort qu'il s'intéressait. Il se jura, lorsque arriverait le terme de son existence, de se faire incinérer. Ni corrosion ni traces, il laisserait place nette, plus rien ne pourrirait après lui.

Il sourit un instant, comme soulagé par cette perspective pourtant macabre. Mais aussi parce qu'une fois de plus il s'était replacé au centre de son monde. Sa pensée pour Arthur n'avait été que furtive et il avait fallu que son égotisme forcené reprenne le dessus...

C'est ainsi qu'Aurélien trouvait le moyen de survivre, dans cet équilibre entre le désir de se laisser aller à son désarroi et sa capacité à rebondir quand la douleur le poussait à s'apitoyer sur lui-même. Mais si par instants ses vieux démons resurgissaient, il savait qu'il devenait un homme différent, plus humble peut-être. Comme ceux qui ont réchappé d'une catastrophe et peuvent en remercier le ciel ou la chance.

Ces réflexions lui permirent de recouvrer ses esprits, sérieusement ébranlés par sa conversation avec Bastien. Avait-il été franc ? Non, bien sûr. Persuasif ? Il l'espérait. Mais il aurait du mal à parler faux jusqu'au bout à ce petit garçon qui lui donnait une telle leçon de courage.

Par la pensée, il trouva refuge dans les bras d'Isabelle. Fidèle à la ligne qu'il s'était fixée, il n'avait pas cherché à la recontacter. Il ne lui avait même pas adressé un message pour lui dire combien il avait aimé la soirée avec elle. Et pourtant il en avait grande envie, tant le souvenir demeurait fort en lui de ce havre de douceur et de réconfort qu'il avait trouvé auprès d'elle.

Il eut de la chance. C'est elle qui le rappela.

Ils se revirent le soir même. Aurélien s'accorda le luxe de déboucher une bouteille de champagne alors qu'il avait renoncé à l'alcool depuis deux semaines. Il en éprouva une sensation de griserie, tout en veillant à rester maître de lui. Ne serait-ce que pour ne rien perdre des plaisirs qu'Isabelle lui avait fait entrevoir la veille.

Ils s'enveloppèrent dans les draps où ils venaient de faire l'amour avant d'aller dans la salle de bains comme s'ils devaient se cacher pour assouvir le désir qui les emportait de nouveau. La lumière s'était éteinte, et dans la pénombre leurs mains, glissant sur leurs corps en sueur, décuplaient leur excitation. Il aimait ces amours clandestines, Isabelle ne devait pas les détester non plus, puisque c'est elle qui s'empressa de refermer la porte quand elle s'entrouvrit sous la pression de leurs étreintes. Lorsqu'ils regagnèrent le lit, après avoir pris une douche ensemble, Aurélien, encore enveloppé d'une sorte d'extase langoureuse, s'entendit prononcer une phrase qui ne lui serait même pas venue à l'esprit une heure plus tôt :

— Veux-tu passer la nuit avec moi ?

Ce n'était pas seulement pour le plaisir de la chair qu'il souhaitait la garder près de lui, même si ce plaisir lui procurait un apaisement qu'il n'avait plus connu depuis longtemps. C'est aussi parce qu'il avait envie d'en savoir davantage sur elle et voulait la tester. Si elle répondait non, c'est qu'il y avait quelqu'un dans sa vie. À voir la façon dont

elle avait pris plaisir à faire l'amour dans l'obscu-
rité, il aurait parié qu'elle était mariée.

À sa grande surprise, elle accepta sa proposition.
Il ne l'interrogea pas, ce fut elle qui se livra sans
qu'il le lui ait demandé. Elle n'était pas mariée,
mais vivait en couple. Son compagnon était parti en
mission depuis quelques semaines en Espagne.
C'est en partie pour adoucir leur séparation qu'elle
avait décidé de consacrer un peu de son temps aux
enfants malades. Car elle aimait son compagnon et
celui-ci lui manquait. Ils étaient même très amoureux l'un de l'autre, mais il l'avait trompée. Il ne le
lui avait pas dit, c'est elle qui l'avait forcé à passer
aux aveux quand elle l'avait compris, car les femmes
« sentent toujours ces choses-là ». Elle s'était montrée
magnanime, tout en lui précisant froidement :

— À charge de revanche. Je me vengerai et tu
n'en sauras rien. Mais le premier sera le bon.

Son compagnon ne l'avait pas crue. Mais en
racontant à Aurélien son histoire avec une parfaite
maîtrise d'elle-même, Isabelle souriait comme si
elle était fière d'avoir tenu parole et obtenu ce
qu'elle voulait. Aurélien souriait lui aussi, mais avec
un peu d'embarras.

— Donc c'est tombé sur moi, en conclut-il.
N'importe qui aurait aussi bien pu faire l'affaire ce
jour-là...

— Non, rassure-toi, j'ai eu d'autres occasions
avant de te rencontrer. Il fallait simplement que
j'en aie envie. Avec toi, je ne me suis pas posé de
questions, tu m'as plu et je t'ai suivi.

Il n'y avait désormais plus aucun mystère dans la démarche d'Isabelle. Aurélien lui avait servi à prendre sa revanche; cet aveu le flattait et l'excitait tout à la fois.

Nous n'avons plus de raisons de nous gêner, lui lança-t-elle, profitons de la nuit jusqu'au bout... Mais après, on en restera là. Je me serai vengée, tu auras pris ton plaisir. On sera quitte.

— Et toi, tu n'as pris aucun plaisir avec moi? s'inquiéta Aurélien, comme s'il se sentait soudain atteint dans sa fierté de mâle.

— Bien sûr que si. C'était même délicieux. Mais il ne faut pas que j'y prenne goût. Tu sais y faire avec les femmes. Moi, c'est la première fois que je trompe mon ami. Il l'a bien cherché, mais je l'aime. Les femmes sont comme ça. Un peu trop entières. Il ne faut pas nous humilier. Maintenant, ce qui est fait est fait. Je n'ai aucun regret. Je n'imaginais même pas que ça pouvait être aussi intense.

— Alors reprenons! s'écria-t-il avec un petit sourire ironique.

— D'accord, mais tu resteras mon amant d'un soir Pas davantage.

À ces mots, il l'embrassa de nouveau, avant de la prendre avec encore plus de fougue qu'auparavant, comme pour un ultime combat où ils savaient l'un et l'autre qu'ils n'avaient rien à perdre.

Ils ne s'endormirent qu'à l'aube.

11.

Ils se levèrent tard, presque gênés de se sentir doublement en faute. Aurélien savait que la parenthèse allait se refermer à la minute où Isabelle quitterait la chambre. Elle semblait résolue, il ne pouvait lui en vouloir. Il vivait déjà comme une chance le fait qu'elle l'ait choisi pour accomplir sa vengeance de femme trahie. Le service qu'elle lui avait ainsi rendu allait bien au-delà de ces moments partagés de douceur et de volupté. C'était pour lui comme le début d'une renaissance et d'une confiance retrouvée.

Il arriva presque guilleret à l'hôpital. Très vite pourtant il dut déchanter face aux mauvaises nouvelles qui l'attendaient. Il trouva tout d'abord, dans le local des « Nez rouges », un message l'informant qu'Isabelle avait demandé à être remplacée et qu'une autre infirmière allait arriver pour jouer son rôle. Il en fut d'autant plus contrarié qu'elle ne l'avait prévenu de rien en le quittant deux heures plus tôt. Craignait-elle de succomber à nouveau et de ne pas tenir sa promesse ? N'avait-il été qu'un

jouet dans une histoire d'amour qui le dépassait?
C'est vrai, il avait eu un petit pincement au cœur
quand elle lui avait avoué qu'elle aimait toujours
son concubin. Il s'était pris pour un sauveur irrésistible, il se découvrait en simple objet et cette prise
de conscience le plongea à nouveau dans le
marasme qui constituait son ordinaire depuis deux
mois.

Il repensa alors – bien tardivement – à son
épouse. Nathalie avait dû lui laisser de nombreux
messages sur son téléphone abandonné. Peut-être
avait-elle même alerté la police et le faisait-elle
rechercher? Il en doutait, sachant qu'elle ne lui
voulait aucun mal et s'était simplement éloignée
parce qu'il était devenu invivable... Tout contribuait, en fait, à le détourner de Nathalie, tant il
détestait repenser à son passé, celui du drame bien
sûr, mais aussi de cette vie bien ouatée dont il ne
voulait plus.

Il n'eut pas le temps de s'attarder davantage sur
ces réflexions désenchantées et si peu nostalgiques.
Un médecin vint l'informer qu'il fallait renoncer
pour le moment à voir le petit Bastien. Son état de
santé s'était dégradé et ne permettait pas à l'enfant
de le recevoir.

— Vous lui avez redonné goût à la vie, lui dit-il.
Vous ne pouvez pas savoir combien ses parents vous
en sont reconnaissants.

— Merci. Vous les saluerez de notre part, à
Isabelle et moi, lui répondit Aurélien. Mais c'est

vous le spécialiste... Dites moi, comment va-t-il au juste ? Il ne me paraît pas bien vaillant...

— Il est perdu.

Son confrère avait dit cela d'un ton brusque, tel un coup de feu qui claque dans la campagne, les jours de chasse, pour abattre un lièvre. Aurélien, pourtant si habitué à la fréquentation des pires nouvelles, reçut le choc en plein cœur. Il se cacha le visage entre les mains pour éviter de pleurer.

— Enfin... je vous dis ça parce que nous sommes tous les deux médecins et que vous pouvez comprendre, poursuivit son interlocuteur. Mais vous savez bien qu'on peut toujours espérer une guérison miraculeuse. Ça arrive, surtout chez les enfants de son âge. Et on est incapable de les expliquer après coup. J'espère que je ne vous ai pas choqué en étant trop brutal.

— Non, non, ce n'est pas votre faute. Je m'étais attaché à lui, c'est tout. C'est un petit bonhomme formidable.

— Formidable et très courageux. Je vous ferai savoir quand il sera à nouveau visible. J'espère que ce sera très bientôt. Je vous laisse.

— Merci, docteur.

Aurélien avait gardé la tête entre les mains pour dissimuler son émotion devant ce confrère qui, sur le point de se retirer, tardait maintenant à quitter la pièce.

Au bout d'un long moment de silence, Aurélien l'entendit prononcer cette phrase :

— Pardonnez-moi, est-ce qu'on ne se connaîtrait

pas ? J'ai l'impression que nous nous sommes rencontrés lors d'un colloque à Angers ou à Tours.
Oui, à Tours, c'est ça, vous n'exercez pas là-bas ?

— Ah non, pas du tout, affirma aussitôt Aurélien.
Ou plutôt si, mais je n'y exerce plus.

Il s'était empressé de répondre, pour colmater la
brèche qui menaçait d'un coup de révéler tout ce
qu'il avait pris soin de dissimuler. Et dans la même
seconde il comprit qu'il était encore trop fragile et
se devait de partir au plus tôt de cet hôpital et sans
doute de cette ville.

Il en ressentit une grande tristesse, parce qu'il
avait commencé à se recréer une petite famille.
Mais Isabelle comme Bastien s'éloignaient de lui,
chacun à sa manière, et son passé n'allait pas tarder
à le rattraper. Il était temps de fuir une fois de plus.

Avant de quitter sans panache le CHU de
Bordeaux, Aurélien Desmaroux demanda à son
confrère une faveur : l'autoriser à revoir l'enfant
une dernière fois, même sans lui parler. Le médecin la lui accorda et l'accompagna dans la chambre
stérile. Bastien dormait ou somnolait. Son visage
creusé avait la couleur du malheur. Aurélien aurait
tant voulu l'embrasser. Il se contenta, la gorge
nouée, de lui adresser ces quelques mots :

— Au revoir, petit loup !

Puis il partit en serrant la main du médecin et
en évitant d'ostensibles effusions. Il savait en cet
instant que plus jamais il ne reverrait Bastien. Ni
Isabelle probablement.

Cette nuit-là, il souffrit à nouveau d'insomnie. Il se leva à plusieurs reprises pour boire de l'eau au robinet de la salle de bains, surprenant chaque fois dans le miroir le visage livide d'un homme ravagé par le doute.

À vrai dire, plus la nuit s'écoulait et plus sa détermination se renforçait : il quitterait l'hôtel dès le lendemain, à la première heure. Bastien allait mourir, et il ne voulait pas être là pour apprendre sa disparition. Isabelle, de son côté, ne le rappellerait pas, si ce n'est pour le revoir « en ami ». Une perspective qui lui faisait horreur. Il ne supportait pas l'idée d'un verre « entre copains », d'une séance de cinéma pour passer le temps. Et puis surtout il se savait, sinon démasqué, du moins repéré. Mieux valait partir que d'être à nouveau harcelé par des fantômes qui se rapprochaient dangereusement de lui.

Il se leva à l'aube, ne se rasa pas, rassembla ses quelques affaires, paya en liquide et se dirigea vers la gare. Il monta dans le train d'Arcachon, sa destination initiale.

Cette semaine bordelaise, il l'avait vécue comme une parenthèse enchantée. Elle lui avait fait croire qu'une renaissance était possible. Il laissait derrière lui deux êtres qui avaient ravivé en lui des sentiments qu'il pensait ne plus jamais éprouver. Même s'il n'était toujours pas lavé de ses souillures.

12.

L'automne s'annonçait superbe sur le bassin d'Arcachon. Un vent tiède balayait les plages et le sable tourbillonnait. Il n'y avait plus guère de touristes, les éléments s'en donnaient à cœur joie. Instinctivement, sitôt débarqué de la gare, Aurélien avait cherché la mer. Parvenu à la jetée Thiers, il avait déposé son maigre baluchon sur un banc et s'y était assis pour voir tourner le manège quasi désert. Il y avait là seulement trois mères de famille et leurs enfants. Aurélien ne put s'empêcher de détailler ces trois femmes, curieux de deviner ce qu'était leur vie, leurs amours cachées, leurs rêves inavoués. Aucune d'entre elles pourtant n'était à son goût.

Le manège tournait maintenant de plus en plus vite. Et Aurélien se sentit comme happé par ce tourbillon, jusqu'à la nausée. Il remarqua un petit garçon qui paraissait bien seul, installé au volant d'un bus et bien moins à l'aise que les deux petites filles grimpées sur un cheval et dans une fusée. Cet enfant lui en rappelait d'autres, bien entendu, et il gardait le regard rivé sur lui sans parvenir à s'en détacher, sous le poids d'une culpabilité dont il n'arrivait pas à se défaire.

Un malaise l'étreignit, proche de celui qui l'avait saisi avant de s'évanouir dans la salle d'opération deux mois plus tôt. Le cœur révulsé, une légère sueur froide sur le front, il détourna la tête, ferma les yeux, laissa affluer en lui les images qui l'obsédaient tant dix jours plus tôt et n'attendaient qu'une occasion pour resurgir.

Quand il rouvrit les yeux, il ne vit que le reflet argenté des vagues sur le rivage. Les cris des enfants se mêlaient à ceux des mouettes. La vie poursuivait son cours. Et il se remit en route.

Il marcha longtemps, pieds nus, jusqu'à la dune du Pyla. Il se souvint d'avoir fait l'amour jadis non loin de là, dans les pins, un été d'adolescence, avec une fleuriste qui passait ses vacances au camping voisin. Il ne se rappelait plus son prénom.

L'âge était passé des galopades échevelées vers l'océan, mais comme autrefois il entreprit l'ascension de la dune, pour le plaisir de retrouver le crissement de ses pas sur le sable. Il s'installa à mi-pente, observant le glissement des plaques qui se craquelaient sur le sol meuble. Le sable filait entre ses doigts, aussi vite, lui semblait-il, que sa vie elle-même.

Il demeura une bonne heure à réfléchir une fois encore à sa morne existence, mais sans vraiment s'apitoyer sur son sort, ce qui était nouveau. Quelque chose se réveillait en lui, qui le poussait à bouger, à s'extraire de sa torpeur. Il retira ses chaussures, en noua les lacets de façon à les porter en bandoulière autour de la nuque, ouvrit sa chemise pour profiter du soleil encore voilé qui éclairait le bassin, puis il se laissa glisser sur la dune qu'il descendit à grandes enjambées.

Revenant sur ses pas, il marcha jusqu'à la jetée du Mouleau, d'où il prit la navette pour se rendre au Cap-Ferret. Les traversées à cette saison étaient moins fréquentes qu'en été et les bateaux beaucoup moins chargés de vélos et de touristes. Il avait du temps devant lui. Il en profita pour se baigner au pied de l'embarcadère, dans un courant qu'il eut du mal à dompter en regagnant la jetée. Il se sécha comme il le put, et faute d'un maillot de bain, remit son jean à même la peau. Il aimait ces libertés minuscules qu'il pouvait s'accorder désormais. Il n'avait plus peur du qu'en-dira-t-on et prenait plaisir à se dépouiller peu à peu de ses pruderies d'autrefois sans craindre le jugement de personne.

Quand le bac arriva, il s'installa sur le pont extérieur pour finir de se sécher et contempler le sillage du bateau, comme s'il pouvait enfin se retourner sur ses propres traces et les regarder se perdre dans les flots.

Arrivé au débarcadère, il sauta pieds nus sur le sable. Son bas de pantalon était trempé comme celui des plaisanciers aguerris de retour de la pêche au bar, souvent des hommes d'affaires qui, le weekend, se donnaient ici des airs libérés. Il les imaginait avec leur cravate et leur attaché-case, hâtant la fin d'une réunion en disant à leurs collaborateurs : « Dépêchons-nous, je dois partir au Ferret. » À travers eux, c'est un peu de son personnage de naguère qu'il se moquait, si empressé, dès qu'il le pouvait, de se défaire de ses habits de scène. Ce qui en subsistait aujourd'hui tenait dans un sac étanche de marin nonchalamment jeté sur son épaule.

Il parcourut la plage de la jetée de Bélisaire au Mambo, s'arrêtant en pèlerinage devant la petite maison de son ami Albéric où il se souvint avoir passé une semaine mouvementée en compagnie d'une amante enfiévrée dont il n'avait plus jamais eu de nouvelles. Il traversa le quartier ostréicole et se remémora les plateaux d'huîtres qu'il avait dégustées avec elle. D'autres femmes revenaient dans ses pensées. Nathalie la première, qu'il se reprochait toujours de ne pas avoir rassurée sur son sort depuis qu'il s'était enfui de leur domicile. Elle ne méritait pas ce silence. Mais c'était ainsi, il voulait aller jusqu'au bout de son choix et s'interdisait tout retour en arrière.

Pourtant, les amis qu'il s'apprêtait à retrouver faisaient partie, eux aussi, de ce passé qu'il avait résolu de fuir. Mais c'étaient des êtres qui, à la différence de beaucoup, ne jugeaient jamais personne. Ils écoutaient, comprenaient, en se gardant de critiquer ou de comparer. Ils avaient eux-mêmes longtemps mené une existence fondée sur la seule ambition de la réussite. Puis un jour, après avoir marié leurs deux filles auxquelles ils avaient tenu à donner le meilleur exemple, ils avaient décidé de quitter Bordeaux et leur situation enviée de professeurs d'université pour s'installer à mi-temps sur les bords du bassin d'Arcachon où ils s'étaient connus adolescents. Lui écrivait des romans policiers inspirés de personnages du cru et elle s'adonnait à sa passion, la sculpture. À cinquante ans à peine, leur vie ressemblait à celle qu'ils avaient toujours souhaitée, et leur entourage admirait l'image qu'ils donnaient d'un couple fusionnel depuis la première seconde. C'est un peu de leur sagesse qu'Aurélien était venu chercher auprès d'eux en ces instants de doute extrême.

13.

Ils ne parurent pas surpris de le voir arriver à l'improviste. Rien n'avait pourtant annoncé sa visite. Pour eux c'était d'abord cela, l'amitié : un feu de cheminée, une porte toujours ouverte.

Florence et Daniel ne lui posèrent aucune question. Il ne se livra pas non plus spontanément, il leur expliqua simplement qu'il avait besoin de «faire le vide» parce que ces derniers temps les soucis s'amoncelaient dans sa vie. Ils ne cherchèrent pas à en savoir davantage. C'est aussi pour cela que leur maison lui avait paru le meilleur des refuges.

Daniel, qui collectionnait les disques de variété, lui fit écouter ses dernières trouvailles. Il était expert dans ce domaine, même si ses choix étaient parfaitement étrangers au goût d'Aurélien. Florence l'entraîna dans son atelier pour lui montrer sa plus récente création. Aurélien la regardait avec tendresse, en se disant qu'il n'y a pas si longtemps elle était encore l'une des adjointes au maire de Bordeaux... Son visage s'était détendu, elle ne fumait plus, la fréquentation du monde politique ne semblait pas lui manquer. Ils burent ensuite tous les trois un de ces whiskies rares dont Daniel était friand. Il n'y avait plus guère que lui dans l'entourage d'Aurélien pour sacrifier au rite écossais.

Il observait ses hôtes en se méfiant de ses penchants pour l'alcoolisme mondain. Il ne pouvait s'empêcher de repenser à cet affreux enchaînement qui avait entraîné sa chute et la mort précoce du petit Arthur.

Visiblement le couple ignorait tout de ce qui s'était passé à Tours. Cela rassura un peu Aurélien qui tenait par-dessus tout à ce que rien ne s'ébruitât de cette affaire dont les conséquences continuaient, en secret, de le hanter. Qu'avait décidé le Conseil de l'ordre en son absence ? Y avait-il des suites judiciaires ? Ce n'était pas tant le désir d'une nouvelle vie qui l'avait fait s'enfuir de sa ville mais bien plutôt son absence de courage à l'idée d'affronter les conséquences de ses actes. Il n'avait pas de quoi être fier.

La patronne du restaurant que ses amis avaient choisi pour aller dîner fut comme à son habitude aux petits soins avec Aurélien. Elle l'idolâtrait car il s'était très bien occupé de la fille d'un de ses amis de la presqu'île. Il l'avait orientée vers un de ses confrères bordelais et avait même accepté d'opérer à ses côtés pour cette intervention délicate.

— Voilà mon sauveur ! s'écria-t-elle dès son arrivée dans le restaurant.

Aurélien avait l'habitude de cette exclamation affectueuse, mais cette fois il en fut presque gêné. Il l'esquiva d'un sourire embarrassé. Le dîner fut joyeux grâce à ses hôtes, visiblement heureux de le retrouver en cette arrière-saison qui ravivait leur nostalgie des souvenirs communs. Aurélien se laissa emporter par le flot de leur conversation. Il en oublia presque tous ses soucis.

Il éprouva tout au long de la soirée les bienfaits de cette douceur enveloppante qui venait de l'automne, du bassin, du flux et du reflux de l'océan. Ainsi coulait la vie, par cycles, tempétueux ou limpides. Le courant auquel il devait faire face lui était contraire, mais peut-être s'inverserait-il un jour en sa faveur. Il savait bien qu'en attendant il lui fallait courber l'échine, se durcir et laisser passer l'orage. Quand surviennent les obstacles, se disait-il, il faut se concentrer sur eux, pour essayer au mieux de les éviter, ou de les minimiser... Toutes ces pensées allaient et venaient dans la tête d'Aurélien que la fréquentation de ses amis rendait soudain plus lucide, voire plus sage.

Ils restèrent longtemps ce soir-là à bavarder de tout et de rien à la table de Bernadette, tandis que les autres clients s'éclipsaient peu à peu.

Daniel avait son idée sur bien des sujets, mais il l'exprimait avec humilité, forçant son interlocuteur à l'écouter et à ne pas le contredire d'entrée de jeu. C'était la marque des esprits fins. Aurélien aimait leurs joutes, tout en subtilités, arbitrées de temps à autre par Florence, qui ne se mêlait de leur conversation qu'à bon escient. Il mesurait à quel point il avait perdu, depuis longtemps, l'habitude d'argumenter, de se confronter à la pensée d'autrui : avec le temps il avait fini par s'éteindre, s'appauvrir intellectuellement, avant de se recroqueviller aujourd'hui sur ses obsessions d'homme déchu, cerné par des spectres. Au contact de ce couple si serein, il reprenait tout doucement vie. Les ennuis semblaient s'éloigner, du moins se tenir au-dehors, se faire plus discrets.

Il se regardait retrouver des forces, comme s'il était devenu étranger à lui-même et devait se prouver qu'il était encore présent.

En cette nuit tiède et rassurante des bords de l'Atlantique, la rive lui paraissait encore bien loin, mais il se sentait à nouveau la force de nager pour l'atteindre.

Il resta une petite semaine chez ses amis. Il y retrouva un peu d'oxygène. Il se baignait deux fois par jour, le matin dans l'océan, le soir dans le bassin au moment où le soleil se couchait. Il lui semblait que l'eau était alors traversée d'une énergie nouvelle et il nageait durant ces moments-là comme un possédé, persuadé qu'ainsi ses démons ne pouvaient plus le rattraper. Il avait bien conscience que ses pensées étaient incohérentes mais c'était sa façon d'échapper à ses angoisses, de conjurer ce sentiment de déliquescence qui le minait avant son arrivée en Gironde et menaçait à tout moment de resurgir.

Les bains de mer l'avaient toujours mis en émoi, sans doute parce qu'il se souvenait d'avoir été, enfant, submergé par une vague et devait, chaque fois, surmonter une légère appréhension. Et puis il aimait se faire peur en imaginant les créatures sous-marines qui peuplaient les profondeurs, après avoir probablement trop lu *Vingt Mille Lieues sous les mers* durant son adolescence.

Requinqué par l'exercice et les morsures du froid, il appréciait l'atmosphère du lieu et la qualité des discussions qu'il entretenait avec ses hôtes. Mais un soir, Daniel prit son ami par le bras pour l'entraîner dans le jardin. Il avait quelque chose d'embarrassant à lui dire :

— Florence vient de recevoir un coup de téléphone de Nathalie qui te cherche partout. Elle avait son idée de l'endroit où tu peux te trouver. Elles ne sont pas très amies, mais tu connais Florence, c'est l'honnêteté faite femme. Elle a été incapable de lui mentir. Elle a donc confirmé que tu étais là. Je le lui ai reproché, je lui ai dit que tu avais tes raisons et que si tu étais parti, c'est que...

— Laisse. Elle a bien fait. Il fallait qu'un jour je l'appelle. Elle a demandé à me parler ?

— Même pas. Elle avait l'air très remontée contre toi. Elle a dit que ta fuite était piteuse et que tu aurais pu avoir le courage de répondre à tous les messages qu'elle t'a laissés sur ton portable.

— Je l'ai jeté !

— Ne te justifie pas, Aurélien. Tu es mon ami et cela seul compte. La vie n'est pas simple, jamais je ne me permettrai de te donner un conseil ou de te faire le moindre sermon.

— Qu'est-ce qu'elle a dit d'autre?

— Ça me gêne que Florence ait dû entendre ça. Elle lui a révélé que tu t'étais mis dans une sale situation, sans plus de précisions. Elle lui a surtout dit qu'elle en avait assez de te porter à bout de bras.

— Je vais lui téléphoner. Vous ne devez pas être mêlés à tout cela. Je me suis efforcé d'être discret...

— Bien sûr. Et on ne te demande surtout rien. Mais ne l'appelle pas. Elle a dit qu'elle ne te prendrait pas au téléphone.

— Alors pourquoi a-t-elle éprouvé le besoin de vous importuner avec ses états d'âme?

— Ne t'emporte pas, Aurélien. On veut avant tout que tu sois heureux.

— Eh bien, je ne le suis plus. Nathalie gâche tout. Et ce n'est pas le moment.

— Elle te quitte, Aurélien...

Il resta sans voix, plus choqué que chagriné. Puis il posa la main sur l'épaule de son ami en se levant. «Je suis désolé», lui dit-il simplement. Des plans se bousculèrent aussitôt dans sa tête. Il songea à partir sur-le-champ, cela devenait chez lui une habitude, presque une seconde nature... En fait il craignait surtout de devoir affronter le regard de Florence, devenue la dépositaire malgré elle de secrets qu'elle n'aurait pas dû connaître. Il se reprit, décidé à éviter une nouvelle lâcheté. Il partirait bien dès le lendemain, mais pour revenir à Tours solder ses comptes avec Nathalie. Elle n'était coupable de rien. C'est lui qui était responsable de tout. Lui et lui seul.

14.

Il quitta donc ses amis le lendemain matin avec tristesse, après avoir hurlé sa rage en nageant une dernière fois dans l'espoir qu'une vague scélérate l'emporte loin de sa vie ou de ce qu'il en restait.

Le voyage lui parut interminable, en bateau tout d'abord pour traverser le bassin, puis en train via Bordeaux.

Quand les premiers sémaphores indiquant Saint-Pierre-des-Corps puis Tours-Centre furent en vue, son cœur se serra. Il sentit le poids de cette ville l'étreindre et lui rappeler sa fragile importance au cœur d'un système qu'il avait cru dominer et qui allait le broyer, puisque la machine judicaire était enclenchée et que la société l'avait déjà rejeté.

Dès qu'il sortit de la gare, il regarda furtivement les passants qu'il croisait sur sa route, comme si tous allaient le reconnaître ou le dévisager. Il n'y eut cependant que deux hommes à lui adresser un salut poli et une jeune femme à s'attarder pour l'observer. Personne ne vint l'accabler du moindre reproche.

Quand il arriva non loin de chez lui, à Saint-Cyr-sur-Loire, il demanda au taxi de le déposer à quelques dizaines de mètres de son domicile. Il avait soudain perdu le courage dont il s'était fraîchement armé le matin même. Au lieu d'utiliser ses propres clés, il sonna, mais aucune voix ne lui répondit. La maison semblait déserte. Il fouilla donc dans son sac pour retrouver son trousseau et pénétra dans cet appartement qui lui était devenu étranger. Il le jugea meublé sans goût, patiné d'un vernis craquelé. L'odeur qui régnait à l'intérieur lui parut si doucereuse qu'il se demanda comment il avait pu y vivre si longtemps sans être étouffé par cette fadeur écœurante.

Il appela Nathalie, elle n'était pas là. Il trouva, posée en évidence sur son bureau, une lettre lui signifiant qu'elle était partie quelques semaines chez sa mère. Elle ne donnait aucune explication à son départ. En post-scriptum, elle ajoutait qu'un huissier était passé deux fois pour déposer une convocation et que le Conseil de l'ordre l'avait harcelée au téléphone pour savoir où le joindre.

Il y avait, en effet, un paquet de lettres assez volumineux déposé sur le secrétaire. Cette fois-ci Nathalie ne s'était pas donné la peine de faire le tri afin de lui épargner les messages anonymes. Ignobles. Leur contenu le blessa tout autant que la première fois, mais devinant à peu près leur provenance il en relativisa la portée.

Plus inquiétante était la lettre adressée par l'avocat de la famille du petit Arthur qui demandait à la justice l'ouverture d'une enquête préliminaire et priait Aurélien de bien vouloir lui faire connaître le nom de son conseil. Quant à celle de l'ordre, elle indiquait simplement qu'aucune décision n'avait pu être prise en absence du principal intéressé et qu'en conséquence on lui demandait de se rendre impérativement à la prochaine convocation, fixée le 8 octobre, faute de quoi il encourait une radiation définitive...

Il eut la tentation de jeter au feu ce courrier menaçant. Mais il n'en fit rien et pour se changer les idées recourut à son subterfuge d'autrefois : il se servit une grosse rasade de cognac avant d'aller se coucher.

Il se réveilla le crâne lourd d'une migraine comme il n'en avait pas connue depuis longtemps. Décidément l'alcool ne lui réussissait plus, si ce n'était pour oublier, le temps d'une nuit, les soucis qui s'amoncelaient. Il se passa le visage sous l'eau froide, ne se rasa pas – pour qui l'aurait-il fait? – et se mit à sa table de travail, entraîné par le peu d'énergie que le sommeil lui avait permis de récupérer.

Il reprit le tas de courrier qu'il avait trouvé en arrivant, jeta à la poubelle les lettres d'injures, ouvrant les autres avec l'espoir d'y puiser quelque réconfort. Il n'y trouva qu'un message plus courtois que les autres, bien que dénué de toute chaleur. Plus une seule invitation à dîner ou quoi que ce soit d'équivalent. Le vide se faisait autour de lui. Désormais il n'avait plus aucun doute à ce sujet.

Il n'accusa réception que de deux des lettres qui lui avaient été adressées. La première, à l'attention de l'ordre des médecins, pour lui faire savoir qu'il refusait, comme le mois précédent, de répondre à sa convocation. Il ne serait pas à Tours le jour dit et estimait humiliante cette façon de procéder. Ses pairs savaient parfaitement qui il était et ce qu'il valait. Il ne voulait surtout pas se laisser juger comme un criminel. Peu lui importait la sanction qu'en fin de compte ils décideraient de prendre à son encontre : il ne serait pas là pour l'entendre.

La deuxième lettre fut pour son avocat, qui n'était pas l'un de ses intimes, parce qu'il n'avait encore jamais eu affaire à la justice. Il lui transmit le document de son confrère, ainsi que le compte rendu opératoire de l'intervention sur le petit Arthur. Il y ajouta son nouveau numéro de téléphone ainsi que celui de son infirmière assistante, en comptant sur sa fidélité et en espérant que le jour venu elle témoignerait en sa faveur. Mais vu l'état de délabrement de son entourage, rien n'était moins sûr.

Il était temps de s'occuper des préparatifs de son départ définitif de Tours et de rassembler les objets qui comptaient le plus pour lui. Il les choisit avec soin, en évitant les plus encombrants. Il se sépara à regret d'un tableau qui lui tenait à cœur, mais tint à garder une sculpture inspirée de Camille Claudel, *La Petite Châtelaine*, symbole à ses yeux de l'innocence perdue.

C'est alors qu'il s'aperçut qu'il était désormais terriblement seul.

Il referma la porte sur ses quinze ans de vie commune avec Nathalie et reprit le chemin de la gare.

15.

Il choisit Paris parce qu'il savait qu'il pourrait s'y fondre dans l'anonymat mieux que partout ailleurs. Dans la capitale, il était plus facile de n'être personne, comme il put le vérifier dès son arrivée à la gare Montparnasse. Encombré de ses valises, il eut la plus grande difficulté à obtenir un taxi dont le chauffeur, en guise de bonjour, lui indiqua d'emblée d'un ton rogue qu'il aurait un supplément à payer. Chacun ici se préoccupait en râlant de son propre sort sans se soucier de celui des autres. En tout cas, Aurélien ne mit pas bien longtemps à s'apercevoir que le sien laissait tout le monde indifférent. Ce qui, d'une certaine manière, le rassurait...

Il s'installa dans un petit hôtel de l'avenue Marceau où il avait travaillé, jadis, comme gardien de nuit pour payer ses études à la faculté de médecine de la rue des Saints-Pères. Il aimait ce retour aux sources et ce clin d'œil du destin. Le jeune homme qui s'occupa de ses bagages serait peut-être lui-même un futur médecin...

Il retrouva avec plaisir dans le minibar les mignonettes de gin, de whisky et de vodka qu'il servait alors aux clients. À cette époque, il n'y avait pas de réfrigérateur dans les chambres et se faire monter dans la sienne un apéritif ou un digestif constituait un cérémonial apprécié. Du client comme du réceptionniste, parce qu'il y avait souvent un pourboire à la clé. Les plus généreux envers Aurélien furent deux frères, pilotes mexicains de renom sur les circuits automobiles. C'étaient aussi des férus de ces petites bouteilles qu'ils se faisaient livrer par demi-douzaines et consommaient sans retenue. Mais le plus beau souvenir d'Aurélien resta attaché non pas à un client mais à une cliente qui, légèrement éméchée, lui offrit un soir la plus sensuelle des récompenses.

Pour fêter son retour dans la capitale, il se servit donc l'une de ces mignonettes – il adorait le nom – qu'il portait dans les étages trente ans auparavant. Puis il en reprit une autre en se penchant pour essayer d'apercevoir l'Arc de Triomphe. À la troisième, il se laissa tomber tout habillé sur son lit.

Ses premiers jours parisiens, il les vécut avec une relative allégresse. Il n'avait plus l'impression d'être en fuite, juste de se laisser glisser au fil de l'eau comme un fétu de paille. Alors qu'il se méfiait jusque-là du regard des autres, quand il avançait parmi eux, il marchait d'un pas plus serein au milieu d'une foule qui accélérait la cadence aux heures de pointe, indifférente à tout et donc à lui.

Ralentissant son rythme, il pouvait ainsi s'adonner, incognito, à une occupation qui lui était interdite à Tours, du fait de sa position et de sa notoriété locale : observer les gens, imaginer leur vie. Il se promena plusieurs fois du côté de Saint-Germain-des-Prés, entre la rue des Saints-Pères et celle de l'École-de-Médecine, détaillant la moindre plaque qui perpétuait la trace de personnages illustres, pour certains tombés depuis longtemps dans l'oubli.

Seul dans Paris, il eut vite fait de retrouver ses instincts de chasseur. Son goût pour les jeunes filles n'avait pas faibli depuis ses années d'études dans la capitale. Il avait continué à y donner libre cours en Touraine quand il était devenu professeur occasionnel à la faculté. Il savait les séduire, tandis qu'elles jouaient de leur candeur, feinte ou réelle. Chacun y trouvait son compte. Il arrivait que l'apprentissage du sexe joue un rôle déterminant dans les relations entre maître et élève. Être enseignant pouvait offrir dans ce domaine des avantages certains. Aurélien en avait profité, d'autant que son physique et son charme lui évitaient d'avoir recours plus que de raison à sa position de dominant.

Il aborda à plusieurs reprises des jeunes filles dans les rues et les cafés, où il passait l'essentiel de ses après-midi. À Tours, il n'aurait jamais osé. Pour conquérir certaines d'entre elles, il alla jusqu'à se vanter d'enseigner à la faculté de médecine, ce qui lui valut quelques succès parmi les étudiantes les moins farouches. L'une d'entre elles s'appelait Aurélie. Le cousinage de leurs prénoms lui donna l'impression grisante de jouer avec elle aux jumeaux incestueux. Aurélien la revit deux ou trois fois, sans qu'il y ait d'enjeu particulier, puisque seu₁ le sexe comptait entre eux. Elle l'entraîna dans les boîtes de jazz du Quartier latin, où il passait une grande partie de ses nuits.

À son contact, il lui semblait renouer avec l'insouciance de son adolescence, ce qui suffisait à le combler. Ils s'entendaient bien, physiquement comme intellectuellement. Ils ignoraient pratiquement tout l'un de l'autre, ne s'imposaient aucune règle, n'attendaient rien de l'avenir. Mais lorsque Aurélien surprit un jour son amie assise sur les genoux d'un beau jeune homme dans le café où ils avaient leurs habitudes et que celle-ci lui adressa un petit signe de main quand elle le vit, étrangement il s'en trouva malheureux. Il fut même saisi d'un tel désarroi qu'il s'éloigna aussitôt.

Il ne retourna plus jamais dans ce café du carrefour de l'Odéon. Il déplaça légèrement son terrain de chasse, mais le cœur n'y était plus. Dès la fin de la matinée il sirotait des blancs secs à la terrasse du Flore parce que celle-ci était chauffée et qu'il pouvait observer à loisir les jambes des passantes sur le boulevard Saint-Germain.

Sur place, il côtoyait quelques dandys qui, comme lui, faisaient semblant d'être absorbés par la lecture de leur quotidien favori, mais s'empressaient d'échanger des œillades complices, par-dessus leur journal, dès qu'une belle étrangère faisait son apparition dans l'établissement. Sous un prétexte qui ne variait guère, certains se levaient alors pour proposer aux nouvelles venues de leur traduire la carte du café ou même de leur servir de guide lorsqu'ils les voyaient déployer un plan de Paris. Leurs manières étaient si affectées, si voyantes, et si vaines en général, qu'il observait leur manège avec compassion. Pour rien au monde il n'aurait voulu ressembler à ces bellâtres qui se croyaient toujours en piste. Pour sa part, il se contentait de détailler la silhouette des femmes qui défilaient devant lui. Elles ne faisaient que passer, quelques secondes plus tard elles étaient déjà hors de sa vue et cette situation lui allait très bien. La possession ne le faisait plus rêver.

En attendant, il buvait. Et personne ne venait plus l'extraire de sa torpeur.

Les oisifs qui peuplaient le Flore à ces heures-là, se voulant à la mode, ne se rasaient que tous les trois ou quatre jours. Aurélien les imita par paresse. Il accompagna ce faux négligé d'un laisser-aller dans sa façon de s'habiller. Toujours pour faire chic, le cou enveloppé d'une écharpe germano-pratine, il se mit à acheter *Le Monde* en début d'après-midi. Sa lecture lui prenait des heures, même si rien ne l'intéressait vraiment dans les articles qu'il parcourait. Il ne décollait de sa chaise que vers six heures du soir, avant d'aller examiner les vitrines des magasins d'antiquités de la rue Bonaparte. Puis il traversait la Seine en passant par le Louvre et les Tuileries pour remonter vers l'Étoile.

Sur les Champs-Élysées, il reprenait, de manière assez paresseuse, sa pêche aux jeunes touristes désœuvrées et, comme il avait tout son temps, il y mettait les formes. Ce qui lui permettait de prendre dans ses filets des spécimens plutôt inattendus. Au tout début, il se donnait parfois la peine de les convier au Lido ou dans les meilleurs restaurants. Ses moyens financiers n'étant plus illimités, il finit par les inviter à monter directement dans sa chambre, sous l'œil goguenard des veilleurs de nuit qui savaient qu'il faudrait regarnir le minibar le lendemain matin...

Pendant un temps, Aurélien se fit une spécialité d'héberger des étrangères de passage en quête d'une chambre d'hôtel, et une joie de leur rendre service. Mais très vite, il se dégoûta de lui et de ses besoins compulsifs. Autant il avait plaisir à découvrir l'intimité, le corps, les goûts sexuels de ces inconnues, autant l'idée de supporter leur présence une nuit entière l'indisposait. Les heures passées en leur compagnie devenaient interminables, d'autant que la plupart ne s'incrustaient que par souci d'économie. Quelques-unes souhaitèrent prolonger leur bail de deux ou trois jours supplémentaires. Il s'y refusa catégoriquement sous divers prétextes.

Au fil des semaines, il en vint à se détester davantage encore. Cette consommation de sexe à un rythme effréné l'écœurait. Il n'y avait jamais de

véritable tendresse dans ces moments-là. Les rares
instants de douceur ou d'émotion se situaient sou‑
vent le matin. Toujours en proie à ses insomnies, il
se levait assez tôt pour fumer une cigarette sur le
balcon. Le jour éclairait alors faiblement le lit et la
jeune femme qui s'y trouvait. Il écartait un peu les
draps pour mieux la découvrir dans sa nudité et
parfois son innocence. Elles se réveillaient rarement, se retournaient le plus souvent ou restaient
offertes à son regard, voyeur et décadent.

Il s'était fait suivre son courrier poste restante
mais n'allait le relever que deux ou trois fois par
mois rue du Louvre. C'est ainsi qu'il apprit le résultat de la dernière réunion du Conseil de l'ordre des
médecins d'Indre-et-Loire. Ces derniers, comme ils
l'en avaient menacé lors de leur convocation,
l'avaient bel et bien suspendu de ses fonctions.
Mais, eu égard à son dossier vierge et à ses états de
service, ils avaient limité sa peine à un an. Ce qui
lui valut de recevoir aussitôt une lettre anonyme
ainsi libellée : « Honte à la mafia de la santé ! Ils se
serrent les coudes entre eux. L'assassin pourra à
nouveau obtenir un permis de tuer l'année prochaine. »
Aurélien ne parut pas plus affecté que ça par le
jugement de ses pairs. Voilà déjà assez longtemps
qu'il avait, au fond de lui, renoncé à l'exercice de
la médecine. Il s'était fait, de surcroît, à l'idée que
quand on fait une faute, on la paye. Mais point

n'était besoin d'en rajouter. Il avait eu son compte d'humiliation. On l'avait sanctionné, rejeté, mis de côté. Il ne serait plus ni utile ni nuisible à la société. Basta. Qu'on le laisse tranquille désormais.

Il était en revanche plus triste de ne pas recevoir de nouvelles de sa femme. Mais comment aurait-il pu ? Il ne lui avait laissé aucune adresse, ni donné le numéro de son nouveau portable. Bien qu'il ait paru s'en agacer devant ses amis du Cap-Ferret, il avait été plutôt flatté de son insistance à le rechercher, du moins à savoir où il se trouvait exactement. Mais depuis, il lui semblait qu'elle l'avait effacé de sa vie. Les rares messages qui s'affichaient sur son portable étaient d'ordre publicitaire, des publicités en tout genre, même celles de sites érotiques, auxquels il s'était laissé prendre avant d'y renoncer en se disant qu'il était en train de tomber bien bas. Il n'utilisait son téléphone que pour s'adonner à des jeux insipides de sudoku, de Scrabble, de solitaire et de bulles à faire exploser...

Un soir, pourtant, son portable s'éclaira. C'était un texto provenant d'un numéro qui ne lui disait rien de précis. Le message était signé d'Isabelle, ce qui aurait dû le réjouir. Mais son contenu était glaçant.

Bastien venait de mourir et Isabelle suppliait Aurélien de venir assister à ses obsèques. C'était le désir de la famille du petit garçon pour le remercier de ce qu'il avait fait, des dernières heures de bonheur qu'il lui avait offertes.

Aurélien se mit à pleurer en apprenant la nouvelle. Mais il décida de ne pas se rendre à l'enterrement. Son état physique s'était trop délabré ces derniers temps. Ses traits s'étaient amollis, ses paupières s'affaissaient, son visage s'était creusé de rides dues à l'alcool, et à ses nuits sans sommeil. Il ne voulait pas qu'Isabelle soit témoin de ce naufrage. Trois mois à peine après son arrivée à Paris, il avait cessé d'être présentable. Il se faisait l'effet d'une loque. L'argent viendrait à lui manquer sous peu et il lui faudrait quitter sa chambre d'hôtel. Ne disposant plus d'aucun revenu, mais toujours habitué à dépenser plus qu'il ne gagnait, il se retrouvait très démuni et tout surpris de l'être. La seule solution pour se sortir d'affaire serait de vendre la maison de Saint-Cyr, mais il la possédait en indivision avec sa femme et il n'était pas question de demander quoi que ce soit à Nathalie.

Il avait repéré des petits meublés au-delà du périphérique, à un prix abordable, qui cependant signifiaient à ses yeux une déchéance supplémentaire. Passe encore de vivre de peu, mais autant le faire au cœur de la fourmilière. Alors il se mit en quête de chambres de bonne dans des arrondissements fréquentables, mais dont les loyers n'étaient plus accessibles pour lui sans user de ses moyens de séduction. C'est ainsi qu'il trouva à se loger dans le XVIᵉ, auprès d'une propriétaire qui le jugea fort à son goût. Une femme plus âgée que lui, qui lui consentit un rabais important sur la chambre qu'elle

113

s'apprêtait à louer, moyennant des compensations intimes qu'il ne rechigna pas à lui accorder...

C'est la première fois qu'il eut l'impression de se vendre et d'être tombé décidément bien bas.

16.

Un coup de téléphone le sortit de sa léthargie. Il fut très ému d'entendre une voix au bout du fil, pour la première fois depuis plusieurs semaines. Et surtout bouleversé que ce fut Isabelle, comme si elle surgissait d'une autre vie.

Mal assuré au tout début, le ton de l'infirmière se fit plus pressant quand elle l'adjura de venir aux obsèques le lendemain. Elle fut très directe :

— Si tu ne viens pas, tu te mépriseras autant que je te mépriserai. C'est-à-dire beaucoup. Ces gens-là tiennent à toi. Tu as fait la joie d'un enfant sans même le vouloir. Continue de leur apporter un peu de bonheur au milieu de tout ce malheur.

— Mais je n'en ai pas la force, Isabelle, lui confessa-t-il. Avec la meilleure volonté du monde. Tu ne sais pas ce que je suis devenu.

— Tout le monde s'en fiche. Personne ne sait ce que tu étais avant. Ce sont des problèmes de Narcisse devant son miroir. Tu devrais cesser, une fois pour toutes, de trop t'intéresser à toi !

— Je ne peux pas. Si tu me voyais en ce moment ! J'ai la main qui tremble en tenant mon verre.

— Alors lâche ce verre... De toute façon, tu n'as pas le choix. Ils t'ont prévu pour porter le cercueil. Dans l'église, ils veulent le personnel médical qui l'a accompagné jusqu'au bout...

Aurélien ne répondit rien. Paniqué à l'idée de revoir Isabelle et de se retrouver en société dans l'état où il était, il se promit de ne pas boire ce soir-là, ni le lendemain avant de prendre le premier train pour Bordeaux. C'est en effet au petit matin qu'il commençait à s'enivrer pour dissiper les cauchemars de la nuit.

Isabelle l'attendait à la gare Saint-Jean. Leurs retrouvailles furent hésitantes, à la fois gauches et empreintes de nostalgie. Ils n'avaient pas trop de temps pour s'épancher. Les obsèques étaient à dix heures, quarante minutes plus tard. Dans la voiture, Isabelle aborda un sujet qui lui semblait délicat; comme elle le lui avait annoncé la veille, les parents de Bastien avaient décidé qu'ils porteraient tous deux le cercueil, avec le cancérologue et l'infirmière qui avait fermé les yeux de leur petit garçon. Mais ils avaient aussi souhaité que les clowns mettent leur nez rouge...

— Je ne l'ai pas avec moi ! Je ne suis même pas sûr de l'avoir gardé, expliqua Aurélien, soulagé de se trouver la première excuse venue pour s'épargner ce ridicule.

— J'en ai pris un pour toi, lui répondit Isabelle.

116

Il se tut un long moment. Puis, il demanda :

— Alors, comment me trouves-tu ? Je n'ai pas l'air trop ravagé ?

— Ça va. On dirait juste que tu viens de faire la fête toute la nuit... Le nez rouge t'ira parfaitement.

— Aimable. Pourtant je n'ai plus vraiment envie de danser...

Ce fut elle, cette fois, qui garda le silence. Ils avaient du mal à se reparler.

— Et toi, comment vas-tu ? reprit-il. Tu t'es remise avec ton homme ?

— Je suis de nouveau avec lui. À vrai dire je ne suis pas vraiment partie. Mais je ne vais pas si bien que ça...

— Tu n'es pas vraiment partie ? Avec moi, c'était donc juste un écart ?

— On en a déjà parlé il y a trois mois. Ne soyons pas lourds. Ce n'est pas le jour.

— Et pourquoi tu ne vas pas bien ?

— Justement. Nous y sommes. Notre histoire m'a perturbée.

Elle avait dit cela négligemment. Et pourtant Aurélien sentit que le mot *perturbée* n'avait rien d'innocent dans sa bouche. Ce qui lui procura un court instant de plaisir.

— Ça, c'est bien les hommes ! fit-elle. On leur dit qu'on est malheureuse et ça les rend heureux parce qu'ils imaginent que c'est à cause d'eux...

— Mais je n'ai rien dit ! protesta Aurélien.

— Tu as souri. Imperceptiblement. Je l'ai vu.

— Alors, ce n'est pas à cause de moi que tu es malheureuse?

— Ce n'est pas le sujet du jour, Aurélien. On arrive dans deux minutes.

L'enterrement fut poignant.

Lorsqu'ils approchèrent de l'église, le médecin qui avait cru reconnaître Aurélien dans la chambre de Bastien vint à sa rencontre et le remercia d'être là.

— On me dit que vous arrivez tout droit de Paris. C'est là que vous exercez?

— En quelque sorte. Je...

— Vous ne pouvez pas savoir combien les parents sont heureux que vous soyez ici tous les deux. Ils étaient entrés dans la chambre de leur fils juste après votre numéro de clowns. Il paraît que jamais ils ne l'avaient vu si joyeux. «Tordu de rire», m'ont-ils dit. Cela faisait des mois qu'un sourire ne s'était posé sur les lèvres de Bastien. Pour cela, ils vous seront reconnaissants à vie. Je vais vous les présenter.

Ils se dirigèrent tous quatre – l'infirmière en chef les avaient rejoints – vers la famille de Bastien. Les parents, la mère surtout, et les grands-parents, bouleversés, se soutenaient les uns les autres comme ils le pouvaient. Seul un enfant ne pleurait pas, impassible, très digne et le visage douloureux. Quand le cancérologue leur présenta Aurélien et Isabelle, le père leur dit :

— Vous lui avez offert son dernier bonheur, et donc le nôtre aussi. Soyez-en remerciés. Mlle Isabelle m'a dit que si nous étions d'accord vous pourriez mettre vos nez rouges en portant le cercueil C'est une très bonne idée.

Aurélien regarda Isabelle en coin. Ainsi donc, c'est elle qui avait tout manigancé... Elle fit mine de ne pas s'en apercevoir. Il raconta ensuite à la famille que la fable qui avait tant fait rire Bastien était *La Grenouille et le Bœuf.*

— Croyez-moi, on le sait! Il n'a pas cessé de nous la réciter après votre départ. Jusqu'à ce qu'il ne puisse plus parler...

À ces mots la voix du père s'étrangla. Les deux médecins et les deux infirmières se dirigèrent vers la voiture des pompes funèbres. Le cercueil était bien léger. Ils prirent chacun une poignée et le tinrent à bout de bras ; non sur l'épaule comme cela se pratique habituellement. Isabelle et Aurélien, avec leurs nez rouges, ouvraient la marche. Dans l'assistance pétrifiée, deux personnes applaudirent ; puis dix, puis cent, comme on le fait pour un enterrement d'artiste.

La messe fut ponctuée de témoignages de proches qui racontèrent Bastien, son combat, sa vive intelligence, son regard sur le monde des adultes. Même pour qui ne le connaissait pas bien, et c'était en grande partie le cas d'Aurélien, il était difficile de réprimer ses larmes. Les petits ne devraient pas partir avant leurs parents, ce n'est pas dans l'ordre naturel des choses. Comment ne pas hurler devant une telle cruauté ? Aucun prêtre, aucun aumônier, comme celui qui pourtant parla ce matin-là avec tant d'émotion de son petit protégé, ne peut faire admettre et encore moins comprendre ce qui reste inacceptable.

À la fin de la cérémonie, Aurélien vint présenter ses condoléances à la famille, et embrassa les grands-parents de Bastien, qui l'accueillirent avec effusion comme s'il s'agissait de l'un des leurs. Mais cette rencontre, par contrecoup, fit resurgir en lui l'image du grand-père d'Arthur, le souvenir de sa colère si naturelle lors de cet autre enterrement, puis au cimetière, et celui des lettres anonymes dont il devait être l'auteur ou l'inspirateur... Puis il salua la mère du petit Bastien, égarée dans sa douleur derrière sa voilette. Elle ne semblait pas avoir la moindre idée de son identité. Enfin il s'attarda un peu avec son mari, qui le remercia une nouvelle fois en se penchant à son oreille.

— J'ai encore un service à vous demander, docteur, lui dit-il. Ce sera le dernier. Le jeune garçon que vous voyez à mes côtés est le frère aîné de Bastien, qui l'adorait. Depuis sa mort, et même bien avant, Frédéric n'a pas dit un mot, pas versé une larme. Il est autiste, mais pas de naissance, ce n'est pas un cas très lourd. Il peut suivre des cours dans une institution spécialisée. Mais son comportement m'inquiète depuis la phase terminale de la maladie de son frère, quand il n'a plus eu le droit de le voir. Bastien et lui étaient fusionnels. Dans un premier temps, Bastien a soutenu Frédéric à bout de bras, puis ce fut le contraire quand on diagnostiqua son cancer. Si je vous dis tout ça, c'est qu'il est rare de rencontrer un bon médecin qui soit aussi psychologue. Ce que vous avez fait pour Bastien avec votre amie est extraordinaire. Si Dieu le veut, vous pourrez y arriver aussi pour Frédéric...

Le père avait parlé d'une traite, en s'appuyant sur l'épaule d'Aurélien. Derrière lui, la file de ceux qui souhaitaient consoler la famille s'était immobilisée, silencieuse, le temps que s'achève cet aparté. Aurélien, ébranlé, répondit à côté :

— Je ne suis pas un bon médecin, prétexta-t-il.

Le père le regarda dans les yeux.

— Vous l'êtes. Je sais qui vous êtes.

À ces mots, complètement paniqué, le clown démasqué répondit encore de travers :

— Je ne crois pas en Dieu.

— Et moi je crois en vous.

Et sans plus tarder, le père le présenta au jeune garçon qui se tenait immobile à ses côtés :

— C'est notre Père Noël qui a tant fait rire Bastien...

L'enfant resta impassible. Il tendit une main à Aurélien qui commençait à se pencher vers lui pour l'embrasser. Il fixa l'adulte du regard, sans lui dire un mot. Sa main était froide et ferme, l'autre restant à l'écart, comme pour manifester la distance qu'il voulait garder avec cet inconnu, en lui interdisant de faire intrusion dans sa vie intime.

Aurélien n'insista pas. Il ne tenta même pas de trouver des mots d'apaisement pour ce jeune garçon mutique à qui on avait arraché son frère. Il fit comme lui : il le regarda fixement. Ce qui lui laissa le temps de détailler ce visage d'ange glacé, ces yeux tristes cerclés de lunettes, ce costume de petit homme en cravate, ces chaussures impeccablement cirées. Mais c'est son regard qui l'impressionnait le plus. Jamais il ne pourrait l'oublier.

17.

Aurélien eut beaucoup de mal à se remettre de cette conversation et de cette cérémonie. Une fois encore, face à une situation qui le perturbait, sa première idée fut de s'enfuir. Il n'avait plus en tête que de repartir, alors qu'aucune urgence ne l'appelait à Paris. Sur le parvis de l'église il aperçut le cou et les mèches blondes d'Isabelle qui semblait le chercher dans la foule. Mais il prit soin de l'éviter.

Il se dirigeait déjà vers la gare quand il vit le cortège obliquer vers le cimetière en suivant la voiture des pompes funèbres. Sur la place de l'église, tandis que le bedeau et deux employés décrochaient de la façade du bâtiment la tenture de velours noir frappée d'un grand « B », quelques personnes bavardaient ou se saluaient. Isabelle allait d'un groupe à l'autre dans un état de grande agitation, avant de se mettre à courir pour rejoindre le cortège funéraire.

Dissimulé derrière un arbre, Aurélien regardait la petite foule s'éloigner dans un halo de buées. Il se dit que c'était un petit saint qui s'en allait pour toujours et que lui, Aurélien, gangréné de partout, ne devait plus s'approcher de sa famille. Cette résolution manquait singulièrement de caractère mais elle l'arrangeait.

Au fond il avait envie de s'effacer lentement, sans gêner personne, sans laisser de regrets derrière lui. Il avait une si piètre opinion de lui-même qu'il aspirait seulement à disparaître du monde des vivants, comme s'il ne l'avait jamais fréquenté.

Rentré à Paris, il déconnecta son téléphone de peur d'être rattrapé par son passé, et par Isabelle en particulier. Il se sentait beaucoup trop fragile pour affronter une épreuve supplémentaire. Le portable ne lui servit plus qu'à s'adonner à ces jeux idiots qui l'abrutissaient en l'empêchant de penser à toute autre chose. Il ne se concentrait que sur des records inutiles et quand il avait terminé une série, il se remettait à une autre machinalement.

Mais c'était surtout l'alcool qui l'aidait à supporter le vide sidéral qu'était devenu sa vie. Comme il n'avait plus les moyens de s'acheter des bouteilles de vodka ou de whisky, il s'était rabattu sur la bière qu'il achetait par packs. Il avait grossi, au point d'éprouver désormais des difficultés à gravir les escaliers pour monter jusqu'à sa chambre de bonne. Plus question d'aller courir la nuit...

Il avait renoncé à sortir, à s'attarder aux terrasses des cafés. Il se trouvait repoussant et n'avait plus envie d'aborder une femme. Ni de faire l'amour. De temps en temps lui revenait le souvenir de la peau d'Isabelle, mais il n'avait pas beaucoup d'efforts à faire pour le chasser de sa mémoire.

À l'approche de Noël, il se calfeutra encore davantage dans sa chambre encombrée de flacons vides et de vêtements sales.

Pourtant, un jour de relative lucidité, il décida de faire un peu de ménage et de se débarrasser de ces bouteilles qu'il alla déposer au local des poubelles dans un sac plastique. C'est dans le hall de l'immeuble que son attention fut attirée par une petite affiche placardée qui portait cette annonce : « Cherchons volontaires pour l'Armée du salut du 22 au 25 décembre, réveillon compris. » Suivaient une adresse et un numéro de téléphone.

Pendant des heures, Aurélien tourna et retourna ce minuscule problème dans sa tête : y aller ou non ?

Au terme d'une nouvelle nuit d'insomnie, Aurélien se décida, non pas à téléphoner – il ne s'en sentait pas la force –, mais à se rendre à l'adresse indiquée. Ce qui le contraindrait à sortir, après deux semaines de claustration, où il n'avait respiré que l'air confiné de sa chambre.

Dans la rue, il avançait droit, mais d'un pas de vieillard. Il se força à l'accélérer car il se rendait compte que son corps ne le suivait plus. Il manquait de souffle. Il se promit de faire un peu d'exercice pour tenter de perdre du poids et retrouver une once d'énergie.

Arrivé sur place, il hésita à entrer. Il rôda autour du local en observant les allées et venues et, alors qu'il s'approchait pour déchiffrer un texte en vitrine, il fut abordé par une drôle de petite bonne femme habillée dans la tradition de l'Armée du salut, coiffée d'un couvre-chef suranné qui la rendait sympathique.

— N'hésitez pas, monsieur, entrez donc. Il y aura bien une soupe pour vous.

Aurélien était interloqué. Non pas vraiment choqué, elle était si charmante, mais amusé, même s'il avait perdu ces derniers temps son sens de la dérision.

— Merci beaucoup, madame, mais ce n'est pas vraiment ce que je suis venu demander. J'ai vu votre annonce et je voulais savoir quel type de volontaires vous recherchiez.

— Oh, pardon! Vous aviez l'air si fatigué... Mais votre visage me dit quelque chose. Vous n'êtes pas un de nos anciens pensionnaires?

— Eh non! Vous me dites ça parce que j'ai les traits un peu bouffis. Ce sont les médicaments. En fait je suis médecin.

— Désolé pour la confusion. Mes amis me disent que je suis une gaffeuse invétérée. Que puis-je faire pour vous, docteur?

Aurélien expliqua qu'il voulait se rendre utile mais ne surtout pas avoir à agiter des clochettes dans les rues comme il avait vu faire, enfant, à Tours, des membres de l'Armée du salut.

— Il y a belle lurette que nous ne le faisons plus, répondit la femme en riant. Mais, si vous le voulez, il y a des rôles disponibles de Père Noël à la sortie des grands magasins, on a un accord avec eux. Vous avez la tête de l'emploi, ne le prenez pas mal ! Et puis vous pouvez venir nous aider à servir lors du réveillon, sur notre péniche. On manque de bras.

Aurélien acquiesça aux deux propositions. Fugitivement, il lui sembla recouvrer une meilleure opinion de lui-même.

Pendant deux jours, il s'astreignit à ne plus boire d'alcool, même si cela lui coûtait beaucoup. Il avait trop peur de ne pas être à la hauteur de ses nouvelles missions, face aux enfants des grands magasins puis aux personnes âgées du 24 décembre.

Le jour dit, il se présenta sur place, la mine un peu moins chiffonnée que d'habitude. Il guettait ses progrès matin et soir devant sa glace. On lui fit essayer plusieurs tenues de Père Noël. En se regardant dans le miroir, il convint qu'il était très difficile à identifier. Il insista toutefois pour porter un nez rouge au milieu de la figure. On lui fit observer que ce n'était pas dans la tradition des Pères Noël. Mais ses dons de clown lui valurent très vite d'obtenir gain de cause. Et la drôle de petite dame qui l'avait accueilli lui demanda si elle pouvait l'accompagner pour sa première journée boulevard Haussmann. Il la regarda comme il le faisait avec toutes les femmes ou presque. Mais, en son for intérieur et bien qu'il n'eût dans le cas présent aucune

127

arrière-pensée, il se dit qu'en trois mois, depuis sa rencontre avec Isabelle, ses critères esthétiques avaient été revus à la baisse. Il en sourit, puis passa à autre chose. Après tout, lui-même avait bien pris vingt ans de plus...

La tâche était plus fastidieuse qu'il ne se l'était imaginé. Il fallait d'abord affronter la méfiance des enfants que leurs parents poussaient dans les bras du Père Noël. Certains d'entre eux ne venaient vers lui qu'à contre cœur pour faire plaisir à leur père ou à leur mère. D'autres trouvaient que le vieux monsieur habillé de rouge sentait mauvais, et n'hésitaient pas à le dire. D'autres enfin, et c'étaient les pires, n'avaient qu'une idée en tête : tirer la barbe du Père Noël pour le démasquer et apercevoir son vrai visage...

Certains heureusement semblaient puiser du réconfort dans ses bras. C'étaient souvent les plus petits, intimidés à l'idée de toucher pour la première fois la belle houppelande et la barbe soyeuse de l'homme qui les couvrirait de cadeaux. Ils se blottissaient contre lui, esquissaient un sourire timide pour l'appareil photo de leurs parents, et pleuraient parfois quand on leur demandait de céder la place à d'autres.

Aurélien se lassa de ce manège. Il n'avait pas le droit d'engager la conversation avec celle qui, à ses côtés, recevait l'argent des parents, sitôt la pose terminée... Il fallait garder la magie : le Père Noël ne parle qu'aux enfants. Au début, il eut du mal à s'habituer à ce que les passants, qui semblaient le reconnaître, le désignent du doigt ou le regardent en souriant. Il se crut débusqué. Mais il se rassura en comprenant qu'on ne le jugeait que sur son apparence. Petite leçon de philosophie qui l'amena, une fois de plus, à réfléchir à ce qu'il était devenu. Non pour mesurer, comme souvent, l'étendue de sa déchéance, mais pour se dire qu'une guérison était encore possible.

La soirée de Noël se déroulait sur la péniche de l'Armée du salut, amarrée en bord de Seine. Des autocars sans âge y déversèrent des dizaines d'hommes et de femmes que la vie n'avait pas ménagés. On sentait que tous avaient fait un effort vestimentaire pour l'occasion, leur seule fête de l'année.

Aurélien ne risquait pas a priori d'y rencontrer des connaissances. Une fois passées les premières minutes d'appréhension, il évolua aisément au milieu de ces convives qui ne lui étaient guère familiers. Comme tous les autres volontaires, il participa à la distribution des cadeaux puis au service à table. Donner un peu de bonheur à ces êtres humbles, dont le regard s'éclairait à l'arrivée de chaque nouvelle surprise, le rendit heureux à son tour...

Spontanément, quand vint l'heure de la danse, il offrit son bras à une vieille dame qu'il avait prise en amitié pendant le repas. Elle n'arrêtait pas de plaisanter et ses yeux pétillaient en dépit d'un parcours de vie qu'on devinait difficile. Elle n'en dit rien à

Aurélien qui avait essayé d'en savoir plus sur elle. Il fallait que cette nuit-là, qui n'était pas n'importe laquelle, soit préservée de tout. Elle dansait, passant de bras en bras, au point de très vite devenir la mascotte de la soirée.

L'orchestre joua tard. Des cameramen étaient venus filmer ces agapes pour les journaux télévisés du lendemain. La soirée était une réussite et les organisateurs s'en félicitaient, satisfaits de pouvoir ainsi renouveler l'opération l'année suivante.

À minuit, Aurélien, qui s'était imposé de ne boire que de l'eau toute la soirée, accepta une coupe de mousseux parce que c'était l'heure des adieux. Ce petit peuple de l'ombre, chargé de cadeaux et de colifichets, regagna les autocars. Certains titubaient, d'autres riaient ou parlaient fort. Vers quels lendemains se dirigeaient-ils? Combien d'entre eux seraient encore présents au prochain réveillon?

Aurélien quitta les lieux à son tour, après avoir aidé au rangement et à la vaisselle. Avant de partir, son accompagnatrice lui confia qu'il avait meilleure mine que le jour où il était venu se présenter.

Cette remarque résonnait encore dans sa tête sur le chemin du retour. Ainsi donc, il lui avait suffi d'arrêter l'alcool pendant cinq jours pour que cela se voie sur son visage et qu'on croie à son pieux mensonge.

Arrivé dans sa chambre, toujours essoufflé, il se regarda dans la glace. Ses traits lui paraissaient en effet moins épais, et ses yeux avaient retrouvé un peu de leur vivacité. Ce petit examen de passage l'encouragea à poursuivre ses efforts pendant encore une semaine, jusqu'au 1er janvier. Ensuite, il verrait.

Le sevrage fut difficile. Il s'astreignit à ne plus renouveler sa provision de bières. Quand il se sentait en manque, il se mettait à la fenêtre pour hurler et expulser sa colère. Il s'aperçut ainsi que l'expiration lui faisait du bien et qu'elle contribuait à atténuer son mal-être. Il se mit donc à faire du sport.

Rien de bien spectaculaire au début. Il commença, non sans mal, par s'astreindre aux exercices les plus basiques en pestant contre son embonpoint qui l'empêchait de les exécuter à fond. Mais, en quelques jours, la transformation de son physique fut déjà visible à l'œil nu.

Il se sentait mieux et se penchait à sa fenêtre pour inspirer et expirer à pleins poumons quand la douleur devenait trop forte. Le 31 décembre, il était chez lui, s'étant promis de ne pas sortir le soir de la Saint-Sylvestre pour éviter tout risque de nouvelle tentation, quand, vers vingt heures, on sonna à sa porte.

Nul ne le faisait habituellement. La concierge ne montait jamais, et pour cause : il n'avait donné son adresse à personne et ne recevait, par conséquent, aucun courrier. Seuls quelques quémandeurs d'étrennes et un individu qui lui avait paru un peu louche, sans doute un cambrioleur en train de repérer les lieux, s'étaient aventurés jusqu'à l'étage des chambres de bonne.

Il ouvrit avec méfiance. C'était sa propriétaire, venue lui demander s'il comptait réveillonner quelque part. Le couple d'amis qu'elle avait invité s'était décommandé au dernier moment.

— Nous serons seuls ? lui demanda-t-il.

— Oui, répondit-elle d'un air entendu.

Il accepta, plutôt soulagé à l'idée de passer une soirée de fête en galante compagnie.

— À une condition, ajouta-t-il. Évitez de me faire boire de l'alcool. Je prends des médicaments.

— C'est entendu, docteur. Il y a diverses façons de s'enivrer..., ajouta-t-elle en riant.

Piqué par ses sous-entendus et ses avances implicites, il ne remarqua pas sur le moment qu'elle l'avait appelé « docteur ». Mais, quand il se retrouva attablé chez elle devant un plateau d'huîtres, il voulut savoir pourquoi.

— Figurez-vous qu'une amie de Tours m'a téléphoné l'autre jour, lui répondit-elle. Elle vous avait vu à la télévision dans un réveillon de l'Armée du salut, je crois. J'ai trouvé bien que vous ayez fait ça.

Il eut un court instant de panique. Si elle était au courant, d'autres devaient l'être aussi, par la force des choses, Nathalie, Isabelle, une bonne partie des habitants de Tours et de Saint-Cyr-sur-Loire... Là-bas, on devait jaser. Il se promit, comme première résolution de l'année à venir, de sortir de son isolement et de rallumer son portable dès le lendemain.

Enhardi par cette détermination toute neuve, et galvanisé par les huîtres qu'il savourait en pensant aux vertus qu'on leur attribuait, il se mit à observer son hôtesse de plus près. Le châle qu'elle portait au début du repas avait glissé, laissant apparaître ses épaules nues qu'elle fit mine de recouvrir par pudeur, le regard pressant.

— N'en faites rien, lui dit-il en se levant, la tête penchée sur son décolleté avantageux.

Mais aussitôt, il se reprit.

Il n'allait tout de même pas rechuter ! Pas davantage d'alcool lorsqu'elle lui proposa une coupe de champagne.

— Pour le principe, lui dit-elle. Cette soirée n'est pas une soirée comme les autres. Mais je n'insiste pas. Vous avez l'air d'aller mieux depuis que vous prenez des médicaments...

Il trempa ses lèvres dans la coupe et trouva le champagne amer.

Il dormit mieux cette nuit-là que d'habitude. Il avait su se contrôler et réussi à ne pas retomber dans sa seconde addiction, le sexe.

Le lendemain, comme il se l'était promis, il déverrouilla son téléphone et une série de bips en rafale lui signala qu'il y avait reçu quantité d'appels. La plupart des messages stockés sur son portable émanaient d'Isabelle. Il les écouta consciencieusement, en s'amusant de ses réactions successives. D'abord inquiète – elle l'avait longtemps cherché à la sortie de l'église puis au cimetière –, puis agacée et presque méprisante quand elle avait fini par comprendre qu'il lui avait faussé compagnie sans la prévenir, elle avait observé un long silence de deux semaines avant de le rappeler à nouveau. Un appel ardent, qui résonnait comme un désir de reconquête. Puis elle avait cessé de se manifester faute d'obtenir la moindre réponse, avant de lui laisser un message ironique quoique attendri pour lui signaler qu'il avait été reconnu par des gens de l'hôpital dans un reportage télévisé.

— Ce nez rouge à la fin de la soirée t'allait très bien, lui disait-elle. Je ne sais pas si c'était un vrai ou si tu avais simplement trop bu... Quoi qu'il en soit, j'ai été touchée de te voir le porter, conclut-elle en ironisant sur la cavalière qu'elle avait aussi aperçue à ses côtés, preuve qu'elle avait été «vite remplacée».

Hélas les messages d'Isabelle n'étaient pas les seuls à l'attendre.

Un numéro qui ne lui disait rien de prime abord s'était affiché plusieurs fois sur son écran. C'était celui de son avocat, lequel lui faisait part de l'ouverture d'une information judiciaire suite à la mort du petit Arthur. Pour l'instant, seule la police avait été chargée du dossier. Ce n'était qu'une enquête préliminaire, mais elle devait être prise au sérieux. Quels témoins seraient entendus? Des preuves risquaient-elles d'être découvertes? Le deuxième message était plus pressant, le troisième alarmant. Les inspecteurs s'étaient présentés à son domicile, à deux reprises. Ils avaient laissé une convocation. Il fallait entrer en contact avec eux avant le début de janvier, faute de quoi il pouvait s'ensuivre une contrainte par corps...

Le souffle d'Aurélien s'était fait plus court, mais sans tergiverser, cette fois, il appela son avocat.

Il n'y avait plus de temps à perdre. Maître Reitzaum prévint la police qui fixa un rendez-vous à Aurélien pour le surlendemain. Il revint en toute hâte dans la ville qu'il avait quittée quatre mois plus tôt. Il la retrouva sans joie. Seuls de mauvais souvenirs remontèrent à sa mémoire quand il arriva à la gare.

Le reste fut à l'avenant : interrogé comme un prisonnier qui se serait évadé puis comme un criminel en cavale, il ne trouva aucune compassion auprès des enquêteurs. On lui fit remarquer sans ménagement qu'un enfant avait perdu la vie et que, s'il y avait des gens à plaindre dans cette affaire, c'étaient ses parents et personne d'autre. Il essaya de se justifier comme il le put.

La police ne semblait pas disposer de preuves accablantes contre lui. Son infirmière préférée l'avait disculpé, en assurant aux enquêteurs qu'elle n'avait rien observé d'anormal chez lui, ni le jour de l'opération ni auparavant. Même Charles Coffin, si sévère juste après le drame, avait préféré se retrancher derrière les résultats de la prise de sang pour expliquer qu'une défaillance l'étonnait beaucoup, venant d'un chirurgien aussi brillant qui n'avait aucun antécédent à se reprocher. Aurélien ignorait si Nathalie avait été interrogée à son tour.

Il expliqua aux enquêteurs qu'il avait dû prendre un remontant ce jour-là pour contrer les effets secondaires d'un sédatif absorbé la veille. Jamais, au grand jamais, répéta-t-il, il ne se serait risqué à prendre un alcool fort avant une intervention chirurgicale. D'ailleurs il n'aimait pas cela : un verre de vin tout au plus par jour...

En égrenant ses mensonges avec aplomb, il se félicita au fond d'avoir cessé de boire dix jours avant cet interrogatoire. Il ne tremblait plus comme avant. Tout juste sentait-il ses mains un peu moites. Mais il se garda bien de les essuyer sur son pantalon de peur que les deux policiers ne s'en aperçoivent.

Il lui sembla s'être plutôt bien sorti de cette épreuve. En quittant le commissariat, il appela son conseil qui le rejoignit dans un café. Maître Reitzaum l'écouta, rassuré, et résuma la situation en ces termes :

— Pas de garde à vue. Pas de témoignage à charge. À première vue, on devrait bien s'en tirer. Mais la famille ne va certainement rien lâcher. Il faut donc que j'entre en contact avec leur avocat et négocie avec lui. Vous me dites que le plus remonté contre vous est le grand-père. Je vais voir avec mon confrère de la partie adverse. Ils peuvent encore retirer leur plainte contre X... si l'hôpital ne se retourne pas contre vous et s'ils constatent que leur dossier est trop mince. Mais vous devez vous préparer à devoir verser une grosse compensation financière.

Aurélien fut soulagé. L'argent n'était plus un problème en soi. Il avait appris à vivre sans. Il lui suffirait de vendre la maison de Saint-Cyr ou de réclamer sa part à Nathalie si elle acceptait rapidement de divorcer comme elle paraissait désormais le vouloir.

L'avocat lui demanda s'il souhaitait être déposé quelque part.

— Je vais aller à pied à la gare, lui répondit Aurélien. J'ai besoin de prendre l'air. Et puis je ne connais pas les horaires des trains pour Paris. J'ai tout le temps.

En fait, ce n'est pas à Paris qu'il pensait revenir. Il avait une autre idée en tête.

Il descendit se laver les mains dans les toilettes du café et se regarda longuement dans le miroir. Il se trouva encore laid, mais un peu moins avachi. Il repéra dans ses yeux une petite flamme qui avait depuis longtemps disparu, signe qu'il allait mieux.

Une fois dehors, il composa le numéro d'Isabelle.

18.

Elle décrocha sans colère apparente.

— Je te dois plein d'excuses, lui dit-il. Je n'étais pas bien du tout après l'enterrement. J'avais coupé mon téléphone et je viens tout juste d'écouter tes messages. Pardon, pardon...

— Je ne te crois pas vraiment. Mais je te pardonne. À une condition...

— Avant de me dire laquelle, je voudrais te poser une question. Puis-je venir?

— Quoi! Tu es là?

— Non, mais je peux arriver très vite. Je suis à mi-chemin. À Tours.

Elle éclata de rire.

— Mais tu as perdu la tête! Tu disparais pendant des mois, tu me revois deux heures à peine, tu fuis à nouveau, ton répondeur me raccroche au nez, et là, tu m'annonces soudain ton arrivée imminente. Figure-toi que j'ai aussi une vie à moi, mon petit Aurélien. Je te rappelle que je suis prise.

— Je sais... Il est là?

— Bien sûr, et ce n'est pas le moment de débouler chez moi. Mais j'aimerais bien te revoir quand même. J'ai quelque chose d'assez urgent à te demander.

— Vas-y, dis-moi. Encore une fois, je peux accourir si tu le souhaites, à tout moment.

— Tu ne changeras jamais, le coupa-t-elle. On dînera un jour, mais pas ce soir. En attendant, ce que j'avais à te dire est moins léger. Ça ne vient pas de moi, mais du père de Bastien. Il insiste pour que tu t'occupes de son grand frère. Je ne savais pas qu'il t'en avait parlé...

— Ça été très furtif, après la messe. Mais je ne me suis engagé à rien. Il me semble même lui avoir dit non.

— Il n'a pas retenu cela. Et maintenant, c'est moi qui te le demande. Tu n'as rien à faire à Paris, rien à faire de ta vie, tu ne me l'as pas dit, mais je le sais. Et j'ai vu le reportage l'autre jour à la télévision. Alors arrête de boire et viens ici. Si tu l'acceptes, j'en serai très heureuse...

Il resta trois secondes sans réfléchir. Tout s'accélérait dans sa tête.

— D'accord, appelle le père de Bastien et donne-lui mon numéro. Juste pour lui parler. Pas plus. Mais laisse-moi le temps de revenir à Paris pour y chercher mes affaires.

— Aurélien ?

— Oui.

— Rien. Merci.

Il n'éprouva aucun regret ni aucune réticence à l'idée de quitter Paris. Ce qu'il aimait avant tout dans la capitale, c'était l'incognito qu'elle lui garantissait et qu'il n'était pas sûr de retrouver à Bordeaux. Mais ce qui l'attirait là-bas l'emportait sur le reste.

Au téléphone, le père des deux garçons s'était montré très insistant. Il comprenait les conséquences d'un nouveau choix de vie pour Aurélien. Aussi l'avait-il assuré qu'il pourrait disposer d'un logement sur place et qu'il serait bien sûr rémunéré pour le travail qu'il accepterait d'accomplir après de ses fils. Aurélien s'était récrié avant d'accepter une indemnité symbolique. La famille n'était pas sans moyens, mais il lui était difficile d'accepter d'être payé comme une jeune fille au pair.

Il lui faudrait, de toute façon, trouver un travail par ailleurs, sans lien direct avec ses compétences, puisque, radié pour un an, il lui était interdit de reprendre son activité passée. Que savait au juste le père de Bastien de ses déboires professionnels? Il n'avait aucune intention d'aborder le sujet, prêt tout au plus à répondre à ses questions s'il lui en posait.

Mais c'était surtout pour Isabelle qu'il était impatient de revenir à Bordeaux. La perspective de la revoir, de redevenir son amant l'enchantait. C'est pour elle qu'il avait accepté, la première fois, de s'occuper de l'enfant. Un geste qui n'avait rien d'un sacrifice et dont il ne tirait aucune vanité. Il avait le sentiment d'accomplir une tâche salutaire,

comme à l'époque où il était chirurgien, sans for-
fanterie, avec le désir de faire au mieux. Cette fois,
il allait se surpasser.

À son retour, Isabelle l'accueillit à la gare Saint-
Jean, comme elle l'avait fait trois mois auparavant.
Elle n'avait pas changé, il lui sembla même qu'elle
avait embelli, et il la sentit moins tendue. Il se
demanda comment elle le jugeait de son côté.

— Tu as maigri, lui dit-elle. Plus marqué. Mais ça
te va bien.

— Marqué ? Tu veux dire que je fais vieux ? s'in-
quiéta-t-il.

— Mais non. Plus sexy, ça te va ?

Il se regarda dans le rétroviseur. Ses traits paraissaient en effet moins empâtés. Il n'avait plus ce
visage bouffi qu'on lui voyait ces derniers temps.
Désépaissi, il avait retrouvé une virilité qui le rendait donc plus attirant aux yeux d'Isabelle.

Il la regardait conduire, et ne disait rien, sans
pouvoir s'empêcher d'admirer ses jambes nues malgré la saison. Il s'était persuadé qu'il s'agissait
d'une attention très spéciale à son endroit, voire
une invitation.

— Je sais à quoi tu penses, lui glissa-t-elle d'une
voix complice.

Comprenant sans mal, il se défendit en souriant
d'avoir de telles arrière-pensées. Mais ils ne mirent
pas longtemps à céder au désir qu'ils éprouvaient
l'un pour l'autre. Isabelle avait tout prévu. Elle lui
avoua qu'au lieu d'aller déjeuner dans un restau-

rant de la ville, en attendant leur rendez-vous avec les parents de Bastien, elle avait préféré réserver une chambre d'hôtel.

Elle lui dit cela sans gêne avant de se jeter à son cou et de l'embrasser avec fougue dès qu'elle eut garé son véhicule. Ils se retrouvèrent comme s'ils ne s'étaient jamais quittés, assurés désormais de pouvoir partager tout ce dont ils avaient envie. Aurélien serait l'amant secret d'Isabelle, au rythme qu'ils décideraient ensemble.

Comme il avait été convenu, Isabelle se contenta de l'accompagner chez le père de Bastien, mais sans assister au rendez-vous entre les deux hommes. Elle se borna à refaire les présentations. L'entretien qu'ils avaient eu à l'église, le jour de l'enterrement, s'était résumé à un quasi-monologue et visiblement, en son absence, Isabelle avait beaucoup parlé de son amant au père des deux garçons. Que lui avait-elle dit? C'est la première question qu'Aurélien posa après le départ d'Isabelle.

— Elle m'a simplement déclaré que vous étiez l'un des meilleurs dans votre spécialité et qu'à vous voir ainsi, avec votre nez rouge, on ne pouvait imaginer que vous aviez été un grand chirurgien. Habituellement, les gens qui divertissent les enfants malades sont plutôt des internes ou des débutants.

Aurélien s'étonna de l'entendre parler au passé de son travail de chirurgien :

— Pourquoi dites vous «aviez été»?

— Pardon?

— Oui, pourquoi dire que j'ai été chirurgien, comme si je vous paraissais trop vieux pour continuer d'exercer? insista-t-il.

Son interlocuteur, quelque peu troublé, s'efforça comme il le put de réparer son faux pas :

— Non, ce n'est pas ce que j'ai voulu dire. Vous me semblez à peine plus âgé que moi. Surtout en ce moment. J'ai pris dix ans d'un coup, ajouta-t-il avec un sourire forcé.

Mais Aurélien paraissait résolu à dissiper tout malentendu. Ensuite seulement il accepterait ou non le travail qu'on allait lui proposer. Il avait simplement dit oui au principe d'une rencontre. Et il ne se sentait pas encore prêt à s'engager, guettant le moindre prétexte qui lui permettrait de refuser.

— Non, si vous dites cela, c'est parce que Isabelle vous a tout raconté à mon sujet..

— Pas du tout. J'avais pris mes renseignements quand Bastien m'a parlé de vous.

— Et alors?

— Alors, on m'a dit que vous aviez des soucis avec le Conseil de l'ordre... Mais je n'y attache aucune importance, pardon de vous paraître égoïste. La seule chose qui m'intéresse, c'est ce que vous avez fait pour mon fils. Vous avez été formidable avec lui, vous avez su lui parler, le toucher au cœur. Et c'est pourquoi je suis sûr que vous agirez au mieux avec son frère.

— Je ne suis pas psychologue, répondit Aurélien. Ce n'est pas du tout ma spécialité.

— Ce n'est pas une question de spécialité, mais

de caractère. Croyez-le, ma femme et moi nous
avons tout essayé depuis la naissance de Frédéric
Nous avons consulté tous les grands spécialistes de
la région. Nous sommes même montés plusieurs
fois à Paris pour cela. Sans résultat. Nous avons
essayé de faire soigner notre fils à la Maison de
Solenn juste en face du Val-de-Grâce. Mais il était
trop jeune pour être pris en charge. Et ce dont il
souffrait n'était pas une pathologie de l'adolescence. Nous n'avons jamais baissé les bras, et finalement c'est Bastien qui nous a guidés sur la bonne
voie. Il n'y a pas de hasard. Nous sommes sûrs que,
là où il se trouve, Bastien à sa manière nous sou-
tient. C'est lui qui nous a conduits jusqu'à vous, il
ne peut pas se tromper.

Plus il parlait, plus il prenait de l'assurance,
comme emporté par une sorte de conviction mys-
tique à laquelle Aurélien ne put résister. Il n'avait
pas le droit de se dérober et se devait au moins de
tenter l'expérience.

— Je veux bien essayer, finit-il par dire. Pourtant
je ne connais rien à l'autisme ni aux formes diverses
que peut prendre cette maladie. Je n'ai aucune
intention de lire des livres à ce sujet. Ce serait ridicule et inopérant. Mais je vous préviens que si
j'échoue et que ça ne se passe pas comme vous l'es-
pérez entre Frédéric et moi, je renoncerai. Il ne
faudra pas m'en vouloir. Ni bien sûr en vouloir à
votre fils.

Ils se quittèrent après avoir réglé les détails pra-
tiques dont ils avaient déjà discuté par téléphone.

Aurélien pourrait emménager le soir même dans le studio dont lui avait parlé le père de Frédéric. Il était situé dans le même immeuble où vivait la famille, deux étages plus bas.

On l'installa dans un deux-pièces qui lui sembla immense, après ses trois mois dans une chambre de bonne. Il était heureux de pouvoir vivre désormais non loin d'Isabelle. Frédéric était encore plus près, et lui rappelait bien sûr Bastien. Il n'avait pas encore une idée très précise des difficultés qui l'attendaient, même s'il les pressentait, mais il lui fallait au moins ce challenge pour espérer se forger une autre idée de lui-même.

19.

Deux pièces, une cuisine, une salle de bains...
Voilà déjà longtemps qu'il avait oublié Saint-Cyr,
les dîners fins avec Nathalie, les grandes fêtes pour
chacun de leurs anniversaires Il avait entre-temps
connu les chambres d'hôtes, de bonne, cette lente
déchéance matérielle dont il ne s'était jamais
plaint, et qui accompagnait une autre décrépitude,
singulièrement plus douloureuse. Puisqu'il avait
connu le fond, il s'était décidé à savourer chacun
des menus plaisirs que lui procurait sa fragile
remontée des abîmes.

Il apprécia tout dans cet appartement, le lit, large
et confortable enfin, la vue sur les allées de Tourny,
le réfrigérateur qu'il se promit de ne plus garnir
d'alcools tentateurs... En rêvassant, il eut de douces
pensées pour Isabelle. Elle avait réveillé ses ardeurs
quelques heures plus tôt. Un sourire flottait sur ses
lèvres. C'en était fini de cette oisiveté qu'il avait
tant aimée à son arrivée à Paris avant de se mettre à
haïr les misérables occupations dont il s'efforçait
de remplir ses journées vides, ces jeux imbéciles sur

son portable, ces sinistres rendez-vous peuplés de cris d'enfants aux heures de sortie des classes.

Il faut jouir, se disait-il. Jouir de cette renaissance, de ce corps qui reprenait vie, le fouetter jusqu'au sang, si nécessaire, pour le réveiller.

Il n'avait que deux étages à grimper pour retrouver enfin celui qui le sauverait s'il savait d'abord le sauver. Il redoutait cette rencontre. Il n'avait pas tort.

Le père de Frédéric l'invita à prendre place dans un large canapé en attendant l'arrivée de son fils. Mais Aurélien préféra rester assis sur le bord, prêt à se lever dès que l'enfant serait là. Il voulait le traiter en adulte. Tout en écoutant ce que lui disait le père, apparemment aussi inquiet que lui, il parcourut du regard la pièce dans laquelle ils se tenaient. Elle avait les dimensions d'un court de tennis, était meublée avec goût mais n'avait rien d'un lieu de vie. Le décor était sans âme. Peu de livres, des bibelots impersonnels... Tout ici respirait l'ennui et l'isolement.

Aurélien observait son hôte qui faisait tant d'efforts pour se montrer accueillant et lui permettre de s'insérer au mieux dans cette famille dévastée par le chagrin, où chacun vivait enfermé dans son silence et ses non-dits. Encore très éprouvée par la perte de leur fils, sa femme ne quittait pratiquement plus sa chambre. Et Frédéric, qu'on était allé chercher, tardait manifestement à sortir de la sienne.

Aurélien, qui ressentait déjà une impression d'étouffement malgré l'espace, se demandait en quoi le fait d'être aisé et de ne manquer de rien pouvait prédisposer à l'autisme. Confinement des esprits? Rigidité de caste? Il se dit qu'il n'aurait pas aimé grandir dans cette maison et essayait d'imaginer ce qu'avait été l'enfance de Bastien en ces lieux. Avait-il eu le droit de courir en toute liberté dans ce salon trop vaste? Y avait-il joué au ballon, y avait-il renversé des bibelots? Quelle avait été sa vie quand sa maladie s'était déclarée? De quels rêves l'avait-il peuplée?

C'est alors que son frère apparut.

Il était pâle, le visage sévère, les traits figés. Il vint s'installer à côté de son père. Ils n'eurent entre eux aucun geste affectueux, sans doute parce que l'enfant était rétif à toute démonstration de cet ordre. Aurélien lui tendit une main que Frédéric serra de façon quasi mécanique, comme pour signifier qu'il détestait les marques de familiarité et lui était reconnaissant de s'abstenir de ces manifestations tactiles que lui prodiguaient habituellement les adultes.

Tout en prenant soin de garder ses distances, Aurélien essaya de capter son regard. Mais à aucun moment les yeux du jeune garçon ne croisèrent les siens. Il demeurait immobile et indifférent. Et lorsque Aurélien tenta de se rapprocher de lui, Frédéric recula d'un pas avant d'aller se réfugier derrière son père, en évitant toujours le moindre contact physique. Aurélien, qui ne voulait pas l'embarrasser, feignit alors de ne plus s'intéresser à lui. Sans cesser de guetter ses réactions du coin de l'œil.

— Il paraît que Frédéric est un très bon élève, dit-il en s'adressant à son père. En quelle classe est-il ?

Le père eut une mimique pour le prévenir de ne pas tout croire de ce qu'il allait raconter :

— Il est très avancé pour son âge. Il a eu de légers problèmes pendant sa petite enfance mais il s'est bien rattrapé depuis. Ses professeurs en disent grand bien.

Subrepticement, Frédéric s'efforçait de mieux entendre les mots qu'ils échangeaient. Il ne voulait rien perdre de leur conversation. Aurélien, qui affectait toujours de l'ignorer, sentait désormais son regard posé sur lui.

— On m'a dit aussi qu'il ne s'exprimait pas beaucoup en classe.

— C'est vrai, répondit le père, mais il y a tant d'enfants qui parlent pour ne rien dire. Un psychologue nous a affirmé qu'il emmagasinait beaucoup de choses en ce moment et qu'il en ferait usage quand bon lui semblerait.

— Au fond c'est une marmotte, votre Frédéric, plaisanta Aurélien. Il fait semblant de dormir pendant l'hiver, mais c'est pour mieux reconstituer ses stocks !

— Je dirais plutôt que c'est un petit écureuil qui garde des noisettes de côté, corrigea le père en souriant.

— Oui, mais un écureuil à la tête dure, qui devient de plus en plus difficile à saisir... Vous êtes sûr qu'il ne le fait pas exprès pour vous faire enrager ?

Tous deux savaient alors que l'enfant, les yeux rivés sur eux, captait avidement chacune de leurs paroles. Ils continuaient à dialoguer comme s'il n'était pas là et ne pouvait les entendre.

— En fait, souligna son père, Frédéric est un petit garçon très gentil.

— Vous croyez qu'il le sera aussi avec moi ? interrogea Aurélien. Je veux bien lui donner quelques leçons pour l'aider en classe, mais à condition qu'il me parle...

— Ne vous inquiétez pas... N'est-ce pas, Fréderic ?

L'enfant, comme effarouché, s'était déjà replié sur lui-même. Il ne les regardait plus. Il avait repris son air triste, mais Aurélien crut percevoir une étincelle dissimulée tout au fond de ses yeux.

— Tu peux y aller, mon chéri, conclut le père.

Et l'enfant quitta la pièce comme il était venu, sans prêter attention aux deux adultes qui s'efforçaient en vain de le ramener à la vie.

20.

Aurélien regagna son appartement fort interrogatif. L'affaire s'annonçait ardue. L'enfant lui semblait très vif, et sans doute intelligent, mais il était fermé et comme emmuré en lui-même. Et il paraissait peu disposé à sortir de son mutisme. Pourquoi accorderait-il à un étranger ce qu'il n'avait donné à aucun de ses proches depuis sa naissance?

Aurélien ne savait rien de l'autisme. Les rares cas auxquels il avait été confronté étaient soignés par d'autres que lui. Il n'était même pas pédiatre mais chirurgien spécialisé dans les maladies infantiles. Il songea à consulter une de ses amies, Francine, qui fut naguère son professeur et qui continuait à opérer des enfants, mais il se dit que cela ne servirait à rien. C'était à lui seul de décider s'il se sentait ou pas la force d'affronter ce problème, bien qu'il n'en connaisse pas toutes les données.

Partagé, hésitant, encore mal assuré, il se sentait toutefois plus solide et moins à la dérive qu'au cours de ces derniers mois. C'est pourquoi il eut enfin le courage d'appeler Nathalie, qu'il avait laissée sans nouvelles depuis la fin du mois d'août. Tant de temps était passé, tant d'épreuves aussi. Il ne se souvenait même plus du numéro de sa femme. Il ne l'avait pas inscrit dans son nouveau portable. Il le retrouva in extremis sur un petit carnet codé où il conservait la liste de toutes ses conquêtes, dans l'espoir assez goujat de prononcer un jour le chiffre magique rapporté par Leporello : *mille e tre...*

Sa témérité n'allait pas jusqu'à souhaiter tomber directement sur Nathalie. Son vœu fut exaucé. Son répondeur parla pour elle, mais à travers le message d'une opératrice. Était-ce le bon numéro? Il préféra éviter toute confidence. Il se contenta de dire qu'il avait changé de téléphone et souhaitait lui communiquer ses nouvelles coordonnées. Il fut poli mais pas très tendre, sauf quand il lui avoua, avant de raccrocher, que cela lui ferait plaisir de l'entendre à nouveau.

Il ne lui restait plus qu'à appeler Isabelle. Elle seule saurait lui redonner confiance et l'orienter dans ses choix. Mais ce fut encore avec un répondeur qu'il fit la conversation, à regret cette fois. Isabelle lui avait demandé d'être prudent, au regard de sa situation conjugale, si bien qu'il ne déposa pas de message. Il se contenta d'un court SMS, le plus sommaire et neutre qui soit : «Appelle-moi.»

Et plutôt que de rester terré chez lui à attendre que son téléphone resté si longtemps muet se remette à sonner, il glissa l'appareil dans sa poche et décida d'aller se promener. C'était déjà pour lui la preuve qu'il allait mieux et reprenait goût à la vie...

Il n'avait pas fait cent mètres sous les platanes des allées de Tourny que son portable vibra. Nathalie? Isabelle? C'était un numéro masqué.

Au bout du fil, une voix très détachée, sans émotion apparente. Celle de Nathalie.

— Bonjour, c'est moi, lui dit-elle. Ma mère vient de m'appeler. C'est elle qui a hérité de mon ancien mobile. J'en avais assez de recevoir à ta place des injures qui te concernaient. Je comprends mieux pourquoi : on ne pouvait plus les déverser sur ton propre téléphone. Je t'ai moi-même laissé pas mal de messages auxquels tu n'as jamais répondu.

— Oui, pardon. J'ai perdu mes affaires juste après être parti de Tours et j'ai dû changer de numéro.

— Ça ne t'empêchait pas de chercher à me joindre.

— Je le sais. J'ai eu tort. Mais j'ai touché le fond, crois-moi. Je ne voulais pas te parler dans cet état-là. Tu n'aurais pas été fière de moi.

— Parce que tu crois que je le suis davantage maintenant?

Un long silence s'installa. Aurélien finit par le rompre en multipliant les regrets. Sa femme y paraissait insensible. Comment excuser une disparition de six mois, alors qu'ils avaient fait route commune pendant plus de quinze ans? Il n'y avait pas de mots pour l'expliquer et, faute d'arguments, il en vint à l'objet initial de son appel : dire à Nathalie qu'il s'occupait désormais d'un petit autiste et lui demander des conseils.

— C'est tout ce que tu as trouvé pour te racheter ? ironisa-t-elle.

Cette réflexion le blessa, même s'il s'était lui-même posé la question. Bien sûr qu'elle avait raison. Mais habituellement Nathalie faisait preuve de plus de compassion, et d'indulgence. Là, elle se montrait impitoyable. Il se demanda ce qu'elle avait pu dire aux enquêteurs à son sujet, si elle avait été interrogée. En même temps, comment lui reprocher quoi que ce soit ? Il s'était comporté vis-à-vis d'elle comme un mufle doublé d'un lâche.

Elle ne lui avait pas raccroché au nez, c'était déjà beaucoup. Le lien entre eux venait d'être renoué, même s'il restait bien ténu. En revanche, il ne put obtenir d'elle ses nouvelles coordonnées. Comment la rappeler tant que son numéro resterait masqué ?

— C'est moi qui prendrai l'initiative, trancha-t-elle. Ça nous changera. Et puis si tu as pu te passer de moi pendant si longtemps, ça pourra encore attendre un peu...

Elle avait mis comme un soupçon de tendresse dans ce dernier trait d'ironie.

Aurélien entendit la communication s'interrompre, et il resta quelques secondes à écouter le bip-bip insistant qui suivit. Une part de lui en était soulagée, une autre se reprochait de ne pas avoir tout fait pour prolonger cet échange. Nathalie le tenait désormais à sa merci, selon ses désirs, et il jugea que c'était de bonne guerre.

Il avait jusqu'alors conduit le jeu, et sa femme, pendant deux décennies, était restée soumise à son bon vouloir. Elle avait subi les impératifs de son métier et s'était sans doute copieusement ennuyée en espérant son retour, le soir, s'interrogeant probablement sur les rumeurs qui couraient sur son compte. Elle ne lui avait rien reproché ou presque, jusqu'à sa dernière aventure avec cette infirmière qui s'était mise à lui faire du chantage sur sa prétendue grossesse. Aurélien se demanda alors ce qu'était devenue cette Valérie. Avait-elle continué à le harceler sur son ancien numéro? Était-elle réellement enceinte de lui? Si oui, le terme devait être proche.

Il jouait à se faire peur, pour se fustiger davantage encore. Il n'en finirait jamais d'expier...

Isabelle ne l'ayant toujours pas rappelé, il se hasarda vers l'endroit où elle lui avait dit habiter. C'était un quartier sans grâce, loin de l'élégance XVIIIe siècle du centre-ville de Bordeaux. Il ne connaissait pas l'adresse exacte. Il entra dans une cabine téléphonique, afin de ne pas risquer de la compromettre, et composa son numéro.

Elle décrocha aussitôt, sans doute parce qu'elle ne se méfiait pas du correspondant qui tentait de la joindre. Dès qu'elle eut identifié Aurélien, elle se montra, en effet, froide et réservée. Elle n'était visiblement pas seule, comme elle le lui confirma assez vite à mots couverts et elle manifesta quelques signes d'inquiétude quand il lui annonça qu'il se trouvait en bas de chez elle, ou presque.

— Ne t'angoisse pas. Je ne vais pas monter chez toi. Je voulais juste sentir que tu étais près de moi.

Cela parut lui plaire. Elle raccrocha, la voix plus apaisée.

Il poursuivit son chemin pendant une bonne demi-heure vers le bâtiment du CHU où il n'était pas revenu depuis qu'un de ses confrères l'avait identifié. Désormais il n'avait plus peur d'être reconnu, comme si quelque parachute avait ralenti sa chute, et il avançait d'un pas décidé en direction de l'hôpital. Il pénétra dans l'établissement, rôda un moment autour du local fermé des «Nez rouges», puis il s'approcha du bloc opératoire.

Au bout du couloir, sur la porte battante, un panneau cerclé de rouge interdisant l'entrée lui rappela qu'il ne faisait plus partie de la communauté des blouses blanches, qui œuvraient au-delà de cette limite inaccessible au public. Il se posta à bonne distance pour les apercevoir dès que la double porte s'entrouvrait. Derrière elle se décidaient des affaires de vie ou de mort, de guérison ou de rémission. Là se nouaient des intrigues, des jeux de pouvoir et parfois des histoires d'amour, le plus souvent de sexe.

Aurélien avait longtemps régné sur ces coulisses du Blanc, il en avait aimé presque malgré lui les odeurs et plus encore les bruits. Ceux des lits ambulatoires que l'on roule à vive allure, des portes qui claquent ou se referment, d'une agitation permanente faite de séquences d'angoisse et d'espoir. Les cris étouffés face à un patient qui lâche prise. Les exclamations quand le cœur d'un malade repart. Les longs silences devant un électro-encéphalogramme qui n'émet plus qu'un bip continu, et les soupirs de soulagement, après l'opération, quand le chirurgien ôte ses gants en caoutchouc, puis sa charlotte et son masque de gaze.

Tout cela resurgit brutalement dans la mémoire d'Aurélien et le saisit à la gorge avec un mélange de regret et de nostalgie. Au début de sa longue période d'errance, il n'y pensait pas, il avait même tendance à vouloir tout oublier. Il lui était suffisamment difficile de chasser les mauvais relents de sa dernière opération, de son évanouissement, puis de ce réveil si amer. L'homme qui venait d'apprendre son geste criminel, ça ne pouvait pas être lui. Et cet individu-là était devenu son ennemi. Au fil du temps, Aurélien s'était accommodé de la présence de ce fantôme embarrassant qui coïncidait désormais avec ce qu'il était lui-même devenu : un personnage lâche, méprisable, imbibé, alourdi. À travers lui, plus rien ne subsistait des élans glorieux de sa vie passée.

Il lui fallait maintenant lutter de toutes ses forces pour ne pas céder à la tentation de pousser la porte qui se trouvait devant lui, franchir cette frontière aujourd'hui interdite. La tentation de se mêler de nouveau à ce monde dont il avait été exclu pour une durée assez brève, mais qui lui paraissait interminable. Comment revenir ensuite parmi ses pairs, sans devoir affronter leurs regards, supporter leurs sourires hypocrites ?

Ce jour-là, Aurélien souffrit assez cruellement mais il se redressa, comme s'il avait de nouveau faim de vie.

21.

Aurélien était encore très ébranlé quand il se rendit à son deuxième rendez-vous avec Frédéric. Ce fut en fait leur premier en tête à tête. Comme il avait été convenu, le père du garçon les laissa seuls au bout de quelques minutes.

L'enfant continuait à l'ignorer. Assis, il regardait fixement le bout de ses chaussures. Il s'était levé pour le saluer lorsque son père le lui avait demandé. On sentait le poids d'une éducation exigeante. Mais ensuite il resta prostré. Aurélien tenta de lui parler, ce fut peine perdue. Plus il s'empêtrait dans des tentatives d'approche banales, ne sachant s'il fallait le tutoyer ou le vouvoyer, plus le jeune garçon se détournait de lui. Il eût fallu être aveugle pour ne pas déceler chez lui les marques d'un total désintérêt.

Aurélien s'énervait. Comment poser des questions à quelqu'un qui de toute façon ne vous répondra pas? Comment ne pas respecter, dans le même temps, la dignité d'un enfant dont on ne sait s'il ne veut ou ne peut pas parler? Aurélien se résigna donc à parler seul et, au fil de son monologue, il en arriva au *Petit Prince*.

Le rapprochement se fit dans son esprit lorsqu'il compara leur âge respectif et la similitude de leur situation : un adulte venu d'on ne sait où, face à un petit garçon tout aussi grave et mystérieux. À quel monde lointain appartenait Frédéric ? Un monde clos, replié sur lui-même, auquel personne d'autre ne pouvait accéder. Une petite planète sans vie ou presque. Y avait-il là-bas des allumeurs de réverbère ? Et comment lui redonner la lumière ?

À aucun moment, même à l'évocation de sa mère ou de son père, le visage de Frédéric ne s'anima. Son regard n'avait pas davantage cillé quand Aurélien lui avait parlé de Bastien et détaillé les conditions de leur rencontre. Était-il à ce point insensible, ou simplement sauvage, pudique, réservé au point de ne rien entendre de ce qu'on lui disait ?

Aurélien s'échinait toujours à établir un contact avec l'enfant en lui racontant l'histoire du *Petit Prince*, quand il reçut en pleine face la plus cinglante des réponses. L'enfant, qui paraissait absorbé dans un travail d'écriture, déchira soudain une page de son cahier et la tendit à Aurélien. Deux simples phrases le giflèrent : «Je sais tout ça. Va-t'en !»

Au lendemain de cet épisode, où il s'était vu en quelque sorte congédié par l'enfant sans parvenir à lui dire quoi que ce soit, Aurélien traversa un long moment de découragement. Il se disait qu'il n'y arriverait jamais. Comment affronter ce bloc d'hostilité? Par quel interstice réussir à se faufiler dans cette citadelle de silence? Il finit par se persuader que le jeune garçon savait tout le concernant, qu'il avait percé à jour son propre jeu et n'ignorait rien de son passé. Frédéric avait eu pendant leur bref échange une drôle de façon de le scruter la seule fois où leurs regards s'étaient croisés. Ses yeux semblaient lui dire : «Je sais qui tu es. Tu peux embobiner qui tu veux, mes parents, ton infirmière, mais pas moi. Je ne sais pas ce que tu as fait à Bastien, il n'a pas eu le temps de m'en parler mais je ne suis pas lui. Ne t'approche pas de moi.»

Tout cela n'était peut être que le fruit de son élucubration mais ce message, tel qu'il l'interprétait, s'ancra durablement dans la tête d'Aurélien. Il devint évident pour lui que Frédéric n'était pas dupe de ses postures, qu'il avait tout compris de son besoin de rédemption. L'enfant avait deviné que son propre sauvetage passerait par le sien et c'est ce qu'il ne voulait pas.

Désarmé, Aurélien alla, une fois de plus, chercher du réconfort auprès d'Isabelle. Par chance elle répondit à son appel et par chance il put lui parler. Il lui raconta tout, cette communication impossible entre lui et l'enfant, cette impression d'avoir été démasqué, sa conviction d'un échec inévitable... Isabelle s'efforça de le calmer et de le rassurer. Elle lui expliqua qu'elle avait connu très souvent, en tant qu'infirmière, ce sentiment d'impuissance absolue. Ses plus belles victoires, lui dit-elle, furent celles de relations a priori perdues et qui se dénouaient d'un coup de manière inespérée. Elles avaient commencé sous de noirs auspices et, peu à peu, les malades s'étaient adoucis jusqu'à nouer avec elle des liens presque amicaux.

— Surtout quand il s'agit d'enfants, ajouta-t-elle. La méfiance chez eux ne se déguise pas, elle n'en est que plus apparente, et donc plus blessante. Mais leurs résistances ne demandent qu'à sauter, il suffit d'attendre et de créer les conditions de la confiance.

À la fin de la conversation, Aurélien se risqua à lui demander quand ils pourraient se revoir, elle et lui.

— Pas maintenant, lui répondit Isabelle. Je te l'ai dit, ce n'est pas facile. Sois patient. Avec moi comme avec ce garçon. Mais si tu réussis, je serai ta récompense, ajouta-t-elle en riant.

Sa récompense... Il avait souri en entendant ce mot. Il avait bien besoin d'un but ultime à atteindre pour faire face à l'épreuve qui l'attendait. Il était encore trop fragile pour se passer du moindre signe d'encouragement. Son échange avec Isabelle lui avait rendu un peu de confiance en lui. Il s'arma de courage pour retourner au domicile de Frédéric, quitté une demi-heure plus tôt. Il ne voulait pas rester sur un échec et il avait maintenant son idée sur la manière dont il pouvait faire fléchir la volonté de l'enfant.

À sa grande surprise, lorsqu'il sonna, ce ne fut pas le père qui lui ouvrit, ni la domestique, mais une grande et belle femme qu'il n'avait encore jamais vue. Elle avait le teint diaphane et des yeux magnifiquement tristes, presque absents. Son allure était d'une grâce saisissante.

— Pardon, madame, lui dit-il. Je venais voir Frédéric. Nous étions ensemble tout à l'heure et j'avais encore quelque chose à lui dire.

— Vous devez être le nouveau précepteur, lui répondit-elle. Mon mari m'a longuement parlé de vous. Je suis désolée, il n'est pas là, il est à son travail. Puis-je vous faire préparer un café?

Aurélien était dans l'incapacité de répondre. Il avait été comme foudroyé par la beauté de cette femme, mais aussi par cette impression de tristesse qui émanait d'elle. Il ne l'avait pas instantanément reconnue. Lors des obsèques il n'avait aperçu son visage que dissimulé derrière une voilette.

«Vous devez être le nouveau précepteur?» Cette question l'avait enchanté. Il s'était senti soudainement rajeuni de trente ans, et métamorphosé en Julien Sorel face à Mme de Rénal. Il n'avait pourtant pas l'âge du jeune héros du *Rouge et le Noir*, mais une même fièvre d'adolescent l'avait envahi, faite de douceur et de tendresse.

Lorsqu'elle avait prononcé ce mot *précepteur*, délicieusement suranné, il avait remarqué ses lèvres, d'une grâce ancienne. Mais il n'eût jamais osé les embrasser : le regard de cette femme semblait faire obstacle à toute sensualité. Il y avait tant de

165

mélancolie dans ses yeux, tant de douleur conte-
nue qu'on avait seulement envie de lui serrer les
mains en signe de solidarité ou de compassion.
Pourtant sa beauté l'avait saisi au plus profond de
lui. Il pressentait déjà que cette femme allait bouleverser sa vie.

Elle le fit asseoir dans le salon, à la même place
qu'il occupait une demi-heure plus tôt. Mais elle ne
s'installa pas dans le fauteuil qui devait être réservé
au maître de maison. Elle prit place à côté d'Aurélien, partageant le même canapé que lui. Cette
proximité immédiate le troubla beaucoup. Il ne put
s'empêcher de se demander si elle avait éprouvé
d'emblée le même flottement délicieux. Mais rien
ni dans ses gestes ni dans ses paroles ne trahissait
quoi que ce soit d'ambigu.
Elle se tourna vers Aurélien, qui fit de même
dans sa direction. Ils étaient là, à demi suspendus
comme deux oiseaux sur leur perchoir, dans une
position qui n'était guère confortable, mais qu'elle
avait l'air d'apprécier. Désormais ce n'était pas son
port de tête qu'il admirait le plus, mais son main-
tien de princesse.
— Parlez-moi de vous, monsieur le précepteur...,
lui dit-elle d'une voix un peu sentencieuse – ou
moqueuse.
— Madame, parlons plutôt de Frédéric. C'est
plus important.
— Non, non, j'insiste. Avez-vous toujours fait ce
travail?

Elle était tout ce qu'il y a de plus sérieux. Elle le prenait vraiment pour un professeur venu donner des petits cours de rattrapage à des enfants de familles aisées. Son mari ne lui avait donc rien dit? Ce léger malentendu ne déplaisait pas à Aurélien. Il aimait arriver en territoire vierge, sans passé ni passif derrière lui. Il veilla à ne pas la détromper et à jouer pleinement le rôle qu'elle lui attribuait :

— Vous savez, madame, le seul qui compte, c'est Frédéric. Je ne sais par quelle face l'aborder.

Elle rit doucement d'un rire de gorge, qui lui rappela celui de Delphine Seyrig, l'une de ses actrices préférées.

— Une face cachée? dit-elle en reprenant sa formule. C'est vrai, cet enfant est comme un glacier enveloppé de tous ses secrets. Il est encore en hiver, il faut peut-être attendre le printemps pour qu'il se révèle...

C'était joliment dit. Aurélien ne regardait plus que sa bouche, fasciné par ses dents, si tendres et blanches. Quel âge avait-elle? Il était impossible de le dire. Entre trente et quarante ans, probablement plus proche de la quarantaine, avec une allure incroyablement juvénile quand elle se retournait brusquement comme si on l'interpellait.

Aurélien avait maintenant le plus grand mal à se concentrer sur le sujet censé l'intéresser : Frédéric. Subjugué par cette femme, il était captivé par le son de sa voix, ses airs effarouchés, ses grands yeux tristes qui se posaient de temps à autre sur lui. Il procédait délicatement afin de la pousser à se dévoiler. Ce qu'elle fit peu à peu, ingénue ou pleinement conscient des risques qu'elle prenait en se révélant. Peut-être était—elle simplement indifférente à la présence d'Aurélien, en le considérant au mieux comme le témoin ou spectateur de tout ce qu'elle gardait d'enfoui et ne pouvait livrer qu'à un étranger. Elle parlait et Aurélien l'écoutait sans l'interrompre. Par moments, il la relançait en veillant à ne pas la bloquer. Son discours était souvent désordonné, mais sa voix si douce...

Ce qu'elle lui dit de son fils le bouleversa.

22.

Frédéric avait été « un bébé magnifique », couvé comme tous les premiers enfants d'un couple, et d'une précocité saisissante. Quinze mois jour pour jour après sa naissance, il eut un petit frère, Ferdinand, qui s'en alla presque aussitôt, victime une nuit de la mort subite du nourrisson. La famille en fut très éprouvée. Le père se claquemura dans une dignité admirable mais glacée, la mère crut devenir folle et l'aîné, Frédéric, jusqu'alors si plein d'allant, perdit sa joie. Vu son âge, ses parents n'avaient rien pu lui dire. Pire, il émanait d'eux une telle tristesse qu'elle s'insinua en lui comme un poison.

Sa mère s'occupait de lui mécaniquement, elle pleurait souvent quand elle le serrait contre son sein. Elle finit, malgré elle, par le regarder avec circonspection. Pourquoi était-il encore là, lui, alors que son frère avait disparu si vite ? Tout se passait comme si elle le tenait pour responsable de ce malheur. Elle avait pourtant conscience que son attitude était absurde et parfaitement injuste envers cet enfant qui n'était évidemment coupable de rien.

Pour conjurer ce drame, les époux, résolus à braver le sort, décidèrent d'avoir un autre enfant. C'était, pour le chef de famille, la seule façon d'empêcher sa femme de sombrer dans la folie. Et elle-même savait bien qu'elle pourrait ainsi retrouver un peu de sa joie de vivre et restituer à Frédéric la tendresse dont elle était en train de le priver.

Ils avaient espéré sans se l'avouer une fille. Ce fut un troisième garçon qui se présenta, un an après la mort du petit Ferdinand. Ils le prénommèrent Bastien. Les premiers mois, ses parents ne parvinrent pas à dormir. L'un après l'autre, ils se relayaient auprès du berceau pour s'assurer que le bébé respirait bien. Le père, qui était en déplacement le soir de la mort de son fils, ne se remettait pas de son absence cette nuit-là. Il s'en voulut pendant de longues années. Quant à Agnès, elle n'oublierait jamais le petit corps déjà froid à l'aube quand elle s'était levée parce qu'elle ne l'entendait pas crier pour réclamer son biberon.

La violence de ce souvenir, chez l'un comme chez l'autre, les emplissait d'une crainte extrême à l'arrivée de leur troisième fils. Peut-être diffusèrent-ils en lui cette sourde angoisse en se succédant auprès de lui nuit après nuit? C'est en tout cas ce que leur affirma plus tard une pédopsychiatre pour tenter d'expliquer la maladie de Bastien. Cette spécialiste s'y entendait, assurément, pour culpabiliser encore davantage des parents qui n'avaient pas

besoin de cela pour se sentir responsables...
Toujours est-il que Bastien fut un petit enfant très
agité, bien qu'il apportât beaucoup de bonheur à
ce foyer perturbé.

Et Frédéric dans tout cela? C'était bien le problème. L'amour que sa mère donnait à son petit
frère, elle ne le partageait pas équitablement avec
lui, bien involontairement. Chez elle, seul l'incons-
cient parlait. Elle était persuadée d'être enfin en
paix avec Frédéric, comme avec elle-même, parce
qu'elle ne lui reprochait plus, en son for intérieur,
d'être resté en vie après la mort de Ferdinand.

Mais à mesure que Bastien grandissait, en redon-
nant de la joie à ce couple qui en avait manqué, son
grand frère se mit à dépérir. Il se ferma peu à peu au
monde, refusa la tendresse que ses parents voulaient
lui offrir sans calcul et se créa un univers étrange
qu'ils n'arrivaient ni à comprendre ni à pénétrer.

Et puis un jour, peu après son quatrième anni-
versaire, il cessa de parler. Plus jamais un son ne
sortit de sa bouche, ni de joie, ni de colère, ni de
reproche. Il était devenu muet, laissant ses parents
une fois de plus désemparés.

— Voulez-vous le voir?

Elle répéta sa question. Tout à ses pensées, il ne
lui avait pas d'abord répondu.

— Oh non, ce sera inutile, finit-il par dire. J'ai
besoin de réfléchir à tout ce que vous m'avez dit
pour mieux savoir comment l'aborder. Je reviendrai. Je n'habite pas bien loin!

Ils avaient souri tous les deux. Il s'enhardit :

— Je peux revenir quand je veux ? Y a-t-il des horaires qui vous arrangent ?

— Mon mari part en général au travail vers neuf heures, neuf heures et quart. Vous êtes le bienvenu quand vous le voulez.

À vrai dire, s'il faisait traîner la conversation et s'il avait repoussé l'idée d'une nouvelle rencontre avec Frédéric, c'est qu'il avait envie de rester avec elle seule. Elle l'avait captivé. Il ne se lassait pas de la regarder.

Tout en l'observant, ce qui semblait ne la gêner qu'à moitié, il essayait de décrypter ce qu'elle venait de lui dire. Voulait-elle lui signifier qu'il devait revenir avant le départ de son mari, ou après ? Après sans doute, mais il n'en était pas tout à fait sûr. Quoi qu'il en soit, cette perspective ne le laissait pas indifférent. Il se sentait invité à aller plus avant :

— Et pour...

À peine avait-il ouvert la bouche qu'il ne savait déjà plus ce qu'il voulait lui demander. Il éprouvait juste le désir de prolonger cet instant.

À son tour elle fit mine de parler, mais les mots ne venaient pas. Ses lèvres restaient entrouvertes et une brève réaction de panique se lut dans ses yeux. Ce moment suspendu était magique, aucun des deux ne souhaitait le rompre. Aurélien ne voulait surtout pas risquer de le gâcher par un geste ou un mot malheureux. Son trouble était tel qu'il avait peur de s'être mépris, or il ne désirait pas la brusquer.

Il se leva, comme dans un brouillard. Il ne savait plus comment la quitter sans briser le charme qui les rapprochait. Alors il eut une idée ridicule, mais qui lui semblait en harmonie avec la situation. Il lui baisa la main, ce qu'il n'avait pas fait depuis une première de *Don Giovanni* à l'opéra de Tours.

Elle ne retira pas sa main, bien au contraire. Sans doute aurait-il pu la garder ainsi pendant de longues secondes et même laisser sa bouche remonter vers l'avant-bras. Mais il n'en fit rien. Il savait que ce cristal était fragile et qu'il eût suffi de peu pour provoquer une fêlure. Il se redressa et plongea son regard dans le sien. Elle ne le refusa pas.

Au moment de se séparer, il lui adressa un «Au revoir madame» respectueux qu'elle s'empressa de corriger en lui demandant de l'appeler par son prénom, Agnès. Mais elle en resta pour sa part à un «monsieur le précepteur» qui semblait destiné à préserver entre eux certaines limites.

Il y a bien longtemps qu'Aurélien ne s'était senti à ce point bouleversé par une femme. Certes Isabelle l'avait à sa manière ramené à la vie en lui rendant sa virilité. Mais elle donnait peu d'elle-même et de son temps. Et pour ne pas sacrifier son couple, elle était restée à distance de leur histoire. Aujourd'hui encore, Aurélien la tenait pour une amie, une confidente et une maîtresse occasionnelle, l'une des plus sensuelles qu'il ait connu. Mais pas pour un grand amour.

Agnès, elle, semblait à la fois inaccessible et imprévisible. Elle représentait une promesse, celle d'un interdit délicieux, d'un écart possible mais non certain. Pouvait-elle basculer, n'était-elle que fragile ou déjà ambiguë? Était-il bien loyal de s'en prendre à une femme en proie à un tel chagrin? Il y avait tant de mystère en elle qu'Aurélien voulait tenter l'aventure, tout en sachant qu'elle risquait fort d'être sans issue. En fait, il ne se posait guère de questions. Le destin déciderait pour lui. En attendant, il rêvait.

Il ne rêvait pas seulement de conquête, mais de renaissance dans le sillage d'une femme qui l'entraînerait avec elle et lui ferait tout oublier, jusqu'à son enfance. Une femme qui l'emporterait au loin, dans le pays des korrigans, dont on ne revient qu'ensorcellé. Le pays des rêves absolus, des souvenirs dissous, des existences en devenir.

Aurélien était tout simplement heureux.

23.

«Ça va mieux. Et toi?»

Il fallait qu'il aille en effet vraiment mieux pour se décider à reprendre contact avec sa femme en utilisant son ancien numéro. Un simple SMS, mais c'était déjà beaucoup. Tant d'événements étaient arrivés depuis six mois que l'évocation de son nom ou de son souvenir le laissait sans réaction ou presque. Quelque chose, entre eux, s'était irrémédiablement brisé. Cette femme avait été au centre de sa vie pendant plus de quinze ans et elle lui était devenue comme étrangère.

Il était responsable de cette situation, qu'il n'avait rien fait pour estomper. Il l'avait même provoquée. Il s'était enfui sans un mot, puis il avait laissé son absence se prolonger sans explication. Jusqu'à ce que leur éloignement devienne irréversible. Pourraient-ils un jour se retrouver? Il en doutait. Leurs existences désormais n'avaient plus rien en commun. Elles ne pourraient plus jamais se ressembler, ni s'unir de nouveau. Ainsi fonctionne la lâcheté des hommes à l'égard des femmes quand ils décident de les quitter et n'osent pas le leur dire. Les événements travaillent pour eux et, lorsque la rupture est consommée, ils font mine de s'en désoler.

S'il avait encore quelque velléité de se rapprocher de Nathalie, ne serait-ce que pour entretenir des relations apaisées, cette perspective se dissipa dès que lui parvint la réponse à son message, brutale : «Plus de mots entre nous. Nos avocats se parleront.»

Il n'arrivait pas à lui en vouloir. En somme, il ne faisait que récolter ce qu'il avait semé. Il n'avait d'ailleurs ressenti aucune émotion particulière lorsqu'il avait reçu ce camouflet par écrans interposés.

Il pouvait passer à autre chose.

Instantanément il appela Isabelle sans trop savoir quoi lui dire. Il n'avait aucune envie de détailler par le menu la fin de sa vie conjugale, encore moins sa rencontre avec Agnès. Tout cela ne regardait que lui. Une nouvelle fois, il fut servi par les circonstances. C'est d'une voix étouffée qu'Isabelle lui répondit.

— Tu ne peux pas parler, c'est ça? lui demanda-t-il.

— C'est ça, confirma-t-elle.

Et aussitôt, il en conçut de l'amertume. Il éprouva même un peu de dégoût à l'idée de cette femme qui irait sans doute rejoindre son compagnon dès qu'elle aurait raccroché. Il n'était pas le mieux placé pour lui faire des reproches, mais d'une certaine manière sa mauvaise foi le libérait.

En arrêtant brusquement la conversation, il savait qu'il mettrait lui aussi un terme à une histoire qui, si elle avait eu ses moments d'enchantement et de douceur, avait fini par s'assagir...

Dans son cœur, Isabelle était déjà remplacée.

Aurélien avait maintenant une piste quant à la façon de s'y prendre avec Frédéric.

Lorsqu'il sonna à nouveau à la porte de ses parents, ce fut une employée de maison qui lui ouvrit. Il en fut à moitié soulagé. Il n'aurait pas su bien réagir si Agnès était venue l'accueillir. Il y avait en elle tant de grâce et de souffrance à la fois qu'il était partagé entre l'envie de la consoler d'un mot et celle de la serrer contre lui. Mais il ne voulait surtout pas gâcher ce beau moment de trouble qui s'était installé entre eux.

— C'est pour M. Frédéric ? Je vais le chercher.

M. Frédéric, petit homme de onze ans, égaré dans une maison où le temps s'était lui-même arrêté...

Quand l'enfant arriva dans le salon, il lui tendit la main comme à l'habitude, avec la même politesse froide. Aurélien le fit asseoir, s'installa à son côté et ne le regarda pas. Il lui remit son *Petit Prince* et entreprit de lire un autre exemplaire qu'il avait acheté dans l'après-midi. À un aucun moment il ne jeta un œil sur le petit garçon. Il put cependant vérifier que Frédéric suivait l'histoire en tournant les pages. Lorsqu'au bout d'une heure il en arriva à l'épisode du renard, il se leva brusquement et lui fit face. À haute voix, en prenant soin de bien

177

détacher chaque mot et chaque syllabe, il se mit à réciter :

— «Non, dit le petit prince. Je cherche des amis. Qu'est-ce que signifie "apprivoiser"?» «C'est une chose trop oubliée, dit le renard. Ça signifie "créer des liens..."» «Créer des liens?» «Bien sûr, dit le renard. Tu n'es encore pour moi qu'un petit garçon tout semblable à cent mille petits garçons. Et je n'ai pas besoin de toi. Et tu n'as pas besoin de moi non plus. Je ne suis pour toi qu'un renard semblable à cent mille renards. Mais, si tu m'apprivoises, nous aurons besoin l'un de l'autre. Tu seras pour moi unique au monde. Je serai pour toi unique au monde...»

Il avait prononcé les deux dernières phrases en forçant un peu la voix. Frédéric avait levé les yeux vers lui. Il soutint longuement son regard et ne se détacha du sien que lorsque l'enfant cessa la confrontation.

— Frédéric, lui dit-il, j'aurais aimé être Antoine de Saint-Exupéry pour pouvoir t'écrire cette fable. Tu sais peut-être qu'il y a trois mois j'en ai lu une autre à ton petit frère. Elle était de Jean de La Fontaine. Je crois qu'elle lui a beaucoup plu. Ce conte-là, que nous sommes en train de lire tous les deux, est universel! Il y a des milliers d'enfants qui sont en train de l'apprendre en ce moment dans des dizaines de langues. Ce texte dit que sans les autres nous ne sommes rien. Le petit prince qui va mourir d'une morsure de serpent est en fait mort de solitude. Tous les autres personnages qu'il a rencontrés pendant son voyage dans les planètes crèvent eux aussi de solitude : le roi, le géographe, l'allumeur de réverbères, le businessman... Le plus seul de tous est l'alcoolique. « Pourquoi bois-tu ? » lui demande le petit prince. « Pour oublier », lui répond-il. « Pour oublier quoi ? » « Pour oublier que j'ai honte. » « Honte de quoi ? » « Honte de boire ! »

Aurélien marqua un temps. Puis reprit :

— Tu sais ce que c'est qu'un alcoolique ?

Le petit garçon ne broncha pas.

— Oui, un alcoolique. Un buveur, si tu veux. C'est ainsi que l'a pudiquement écrit Saint-Ex. Sans doute parce que ça devait lui arriver dans les moments de cafard. Et peut-être même juste avant de mourir.

Frédéric ne répondait toujours pas.

— Alors je vais te dire. Un alcoolique, c'est un assassin. J'ai été alcoolique. Et je le suis peut-être encore. Je sais ce que c'est... Frédéric, tu m'écoutes ?

L'enfant leva à nouveau vers lui de beaux yeux interrogatifs.

— Je vais te dire un secret que je te demande de ne répéter à personne.

Frédéric fit de la tête un signe d'acquiescement. C'est la première fois qu'il manifestait ainsi son intérêt à ce que lui racontait Aurélien.

— Je suis moi-même un assassin.

Cette fois-ci, c'est un regard dubitatif qui se posa sur lui.

— J'ai tué un enfant, avoua Aurélien.

Le regard de Frédéric était devenu plus inquiet, mais il n'y avait pas trace d'angoisse dans sa façon d'attendre la suite de l'histoire.

— Je ne l'ai pas fait exprès, rassure-toi, poursuivit Aurélien. Je suis médecin. Mon métier, c'est d'opérer... c'était d'opérer des enfants, corrigea-t-il. Un matin, avant une intervention, j'ai bu un verre de trop. Un verre seulement mais je n'aurais jamais dû le faire. Et depuis, comme le buveur du *Petit Prince*, j'ai honte.

Frédéric le fixait avec de grands yeux écarquillés.

— Et c'est parce que j'ai honte que je suis ici face à toi. Et c'est parce que j'avais honte que je me suis engagé comme clown pour divertir les enfants de l'hôpital. C'est comme ça que j'ai rencontré Bastien. Et si je lui ai donné un peu de bonheur avant qu'il aille rejoindre la planète des petits garçons qui n'ont jamais fait de mal à personne, c'est que j'avais beaucoup à me faire pardonner...

L'enfant le fixait toujours intensément.

— Et si je suis ici, c'est que je n'ai pas fini ma mission sur terre, contrairement au petit prince. Je te semble peut-être ridicule avec mon discours, mais sache que je me suis donné pour objectif de te sauver. Et moi avec. Je te le garantis, Frédéric, tu guériras. Et tu reparleras. Tu redonneras de la gaieté autour de toi, à commencer par tes parents. Je ne me suis engagé à rien vis-à-vis d'eux, mais, s'il te plaît, aide-moi. On est deux dans cette histoire, toi et moi, comme le renard avec son petit prince...

Il perçut une lueur de tendresse dans le regard de l'enfant.

— Tu vois, je te disais que tout le monde était seul dans le *Petit Prince*, continuait Aurélien. Ce n'est pas vrai. Il y en a un qui va s'en sortir, c'est l'aviateur. D'abord parce qu'il a rencontré ce magnifique petit bonhomme. Et surtout parce qu'il a pu nous raconter son histoire, six ans après. C'est formidable de pouvoir partager avec les autres, d'échanger, de parler. En ce moment tu ne me réponds pas. Mais un jour tu le feras. Et ce jour est proche.

Frédéric souriait. Si légèrement qu'Aurélien n'en était pas tout à fait sûr. Mais il voulait s'en persuader.

— Je vais te quitter pour ce soir, Frédéric. Auparavant, promets-moi d'aller jusqu'à la fin du *Petit Prince*, bien après l'histoire du renard... Je vais te lire les dernières lignes : « Si alors un enfant vient à vous, s'il rit, s'il a des cheveux d'or, s'il ne répond pas quand on l'interroge, vous devinerez bien qui il est. Alors soyez gentils ! Ne me laissez pas tellement triste : écrivez-moi vite qu'il est revenu... »

Cette fois ci, l'enfant lui adressa un vrai sourire.

Aurélien se redressa et l'embrassa sur le front.

— Tu as entendu, Frédéric. Il a écrit : « s'il ne répond pas quand on l'interroge »...

La main sur la poignée de l'entrée, il se retourna. L'enfant ne le quittait pas des yeux et sa mine était moins sévère qu'à l'habitude.

— Et il ajouté qu'on pouvait lui écrire.

Un court instant, alors qu'il lui tournait le dos, il crut que l'enfant allait se mettre à parler. Il ferma les yeux dans l'espoir que le miracle survienne. Rien n'arriva. Aurélien ne put s'empêcher de lui dire avant de partir :

— Frédéric, embrasse bien ta maman de ma part.

Quand il referma la porte, son cœur battait avec force. Il frémissait d'une joie qu'il n'avait pas éprouvée depuis longtemps.

24.

Il était allongé sur son lit, dans un état de quasi-béatitude. Son stratagème avait fonctionné. Au départ, ce n'était dans son esprit qu'un moyen destiné à attirer l'attention de l'enfant, et si possible ses bonnes grâces. Mais peu à peu, au fil de son monologue, il s'était aperçu que Frédéric s'attachait à lui, comme au renard que l'autre s'était mis en tête d'apprivoiser. Aurélien voulait gagner sa confiance afin de l'aider à sortir de sa forteresse, le sauver de son enfermement. Il imaginait déjà mille ruses pour aller plus loin et le délivrer de sa carapace.

Il en était là de ces réflexions lorsqu'il entendit un léger bruit devant sa porte. Quelqu'un était en train de glisser une lettre à son intention. Aurélien s'interdisait de bouger afin de ne pas risquer de rompre le mystère, et même le charme de la situation, convaincu que cette missive émanait d'Agnès. Il la savait timide et n'aurait pas voulu la brusquer. Ce geste devait déjà beaucoup lui coûter.

Il attendit que les pas se soient éloignés pour ouvrir la lettre, avec un mélange d'allégresse et d'impatience.

L'écriture était désordonnée, elle avait été rédigée dans une grande agitation :

« Monsieur l'alcoolique... »

Dès les premiers mots, il comprit que cette lettre n'était pas d'Agnès. Il parcourut la suite à toute vitesse, en sautant des lignes pour en arriver à la signature.

« Monsieur l'alcoolique,

« Vous n'êtes pas malade. Je ne suis pas malade. Je ne crois pas que vous avait [*sic*] tué un enfant. Vous êtes incapable de faire du mal à un enfant. Moi vous m'avez fait du bien. Si vous n'avez pas fait exprès de tuer un enfant, je ne fais pas exprès de me taire. Je n'arrive pas à parler. De toutes façons [les deux *s* étaient barrés] je n'ai pas souvent envie de parler. Je comprends tout ce que vous m'avez dit. Je suis allé jusqu'au bout de l'histoire. J'aime beaucoup ce livre. J'aurais bien aimé être le petit prince. Ce n'est pas mal de mourir piqué par un serpent, même si j'ai peur de ces bêtes-là. Je comprends bien pourquoi il est mort : il n'a pas voulu devenir un adulte. Moi non plus. Encore merci. Frédéric.

« P-S. : Ne parlez pas à mes parents. »

La déception d'Aurélien s'était vite dissipée. Il était bouleversé par le résultat obtenu. Et sidéré par l'intelligence de l'enfant. Une pensée structurée, trois petites fautes d'orthographe, une logique claire et déjà quelques pistes pour se laisser approcher.

Aurélien décida de répondre à l'enfant par le même canal et, bien sûr, de n'en rien dire à ses parents.

Le lendemain matin, après une nuit enfin apaisée, Aurélien grimpa quatre à quatre l'escalier qui menait à l'appartement de Frédéric. Il avait une lettre en poche : «Merci infiniment pour ton mot. Tout cela restera bien évidemment entre nous. Tu as raison : à l'avenir, communiquons de cette manière. Mais tu me ferais le plus grand bonheur du monde si un jour, même à l'oreille, même doucement, tu me disais quelques mots. Frédéric, on va s'en sortir, tous les deux. Ton ami. A. »

Une fois encore, ce fut la domestique qui lui ouvrit. Aurélien s'était préparé à tout, mais il fut plus rassuré que déçu. Il repensa au trouble qui l'avait saisi lors de sa visite précédente. Il avait bien sûr la plus grande envie de revoir Agnès, mais pas ainsi, entre deux portes.

— Pourriez-vous remettre cette lettre à M. Frédéric ?

— Ce sera fait, monsieur.

— Merci beaucoup... Dites moi, madame est-elle là ?

— Je vais voir. Voulez-vous que je lui dise que vous l'attendez ?

Il avait eu besoin de ces préliminaires convenus pour reprendre ses esprits. Il s'assit sur le canapé à l'endroit qu'on lui avait assigné, la veille, par deux fois.

Il fut surpris de voir non Agnès, mais son mari faire une entrée rapide dans le salon. Il était un peu plus de neuf heures et demie, Aurélien avait pourtant pris ses précautions afin d'éviter de le croiser. Se doutait-il de quelque chose ?

— Bonjour, cher ami, lui lança le père de Frédéric. Pardonnez-moi, je passe en coup de vent. Je suis très en retard. Vous avez rendez-vous avec mon fils ? Comment ça se passe ? Il ne nous a rien dit, évidemment, mais il avait l'air plutôt en forme après vous avoir vu.

— J'ai bon espoir. Mais je sais aussi que ce sera long, peut-être très long. En tout cas, on accroche bien, tous les deux.

Le père avait déjà tourné les talons, sans attendre la fin de sa phrase.

Aurélien respira. Rien de grave. Il n'espérait plus que l'apparition d'Agnès.

Cette dernière ne vint pas. Avait-elle seulement été prévenue ? Au bout de longues minutes, il se leva de son canapé et commença à faire les cent pas dans le salon en examinant chaque bibelot. Comme rien ne se produisait et que personne n'arrivait, il se hasarda dans le couloir où s'était engouffrée la domestique.

Pour ne pas risquer de se faire surprendre au cas où on découvrirait sa présence, il appela Frédéric à haute voix. Toutes les pièces devant lesquelles il passait semblaient vides. Il s'enhardit davantage encore et s'apprêtait à entrer dans la cuisine qui lui faisait face, lorsque, devant la dernière porte, il se heurta à une silhouette qu'il prit dans un premier temps pour celle de la femme de chambre.

Ce n'était pas elle, mais Agnès.

Il était naturel qu'il ne l'ait pas reconnue de prime abord. Elle était en effet habillée plus légèrement que d'habitude, d'une simple nuisette vaporeuse recouverte d'un peignoir grège. Ce bref frôlement de la soie sur sa peau mit Aurélien dans un état second. Il serra très fort le poignet de la jeune femme comme pour l'empêcher de tomber.

Agnès ne fit rien pour dégager son bras. Elle restait immobile dans l'entrebâillement de la porte, retenant sa respiration. Aurélien était tout près d'elle, mais sans faire un mouvement de plus. Le souffle court, ils se regardaient fixement, elle sans honte et lui sans gêne. Il profita de son avantage pour lui libérer le bras et glisser sa main dans son dos, entre la chemise de nuit et la robe de chambre. D'une légère pression, il l'attira à lui. Leurs lèvres s'étaient rapprochées mais ils demeuraient tous deux sans rien entreprendre, comme pétrifiés.

Un fort désir s'empara d'Aurélien, qu'il ne chercha pas à masquer : il plaqua sa bouche sur celle d'Agnès. Elle se dégagea sans grande énergie, puis d'un geste brusque elle revint à lui pour l'embrasser de manière furtive. Alors qu'il croyait la partie gagnée, ou bien engagée, elle le repoussa fermement.

— Non, monsieur, lui dit-elle, ce n'est ni le lieu ni le moment.

Son visage s'était empourpré. Elle était très attirante dans ce déshabillé négligé. Il tenta une ultime approche pour lui rendre son baiser. Elle l'obligea à rester à distance.

— Vous êtes fou. Frédéric pourrait nous surprendre. C'est inconvenant.

Il ne disait rien parce qu'il n'y avait rien à dire. Elle avait raison. Il voulait juste prolonger cet instant quelques secondes encore.

— Est-il vrai que vous vous nommez Aurélien, comme le héros d'Aragon?

— Vous le saviez? Alors pourquoi m'appeler «monsieur le précepteur» comme si vous l'ignoriez?

— Parce qu'il me plaît de vous appeler ainsi. J'aurais aimé vivre à une tout autre époque, quand les messieurs étaient galants et les dames libertines sans être vulgaires. On avait quand même des principes en ces temps-là. Par exemple : jamais le premier soir. Ni le second d'ailleurs. Vous comprenez?

— Je n'ai pas trop le choix si je veux rester galant, répondit Aurélien en souriant.

— C'est mieux ainsi, dit-elle en réajustant son peignoir. Et moi, saviez-vous que je m'appelle en réalité Bérénice?

Ce fut à son tour de sourire.

— Non, madame, regretta-t-il. On aurait pu écrire ensemble la suite d'*Aurélien*. Mais votre prénom est Agnès.

— Agnès, oui. Le petit chat est mort, c'est tout moi... Maintenant, monsieur, peut-être pourriez-vous quitter mon appartement...

— À regret.

— ... avant que je n'appelle la police ? plaisanta-
t-elle.

Elle devenait de plus en plus joueuse. Et un peu
folle.

— Ou votre mari ? rétorqua Aurélien.

— Oh oui, ça c'est une idée !

Elle prit un ton plus sérieux pour lui demander
de ne pas rester là :

— Rentrez chez vous, Aurélien. Frédéric est tout
près de nous, dans sa chambre. Je vous l'envoie dès
que possible. Ce sera mieux ainsi, dans votre studio.
Ça nous évitera toute tentation.

La formule le fit sourire : il n'en était pas si sûr...

Il redescendit l'escalier en dévalant les marches.

Il était encore en proie à une vive émotion quand
il comprit qu'une main cherchait à glisser une
lettre sous la porte. Mais, cette fois, il n'attendit pas
de la lire pour savoir qui en était l'auteur. Il préféra
l'interroger avant d'ouvrir :

— Frédéric ?

Il ne voulait pas le brusquer en se retrouvant nez
à nez avec lui. Un silence se fit... Le petit garçon
devait être en train de se redresser. Aurélien entre-
bâilla lentement la porte. C'était bien Frédéric. Il
l'invita à entrer chez lui. L'enfant refusa et lui fit
signe de lire d'abord sa lettre.

Aurélien sourit et la décacheta. Il n'y avait que
six mots, rédigés en gros caractères : «JE N'AIME PAS
MON PÈRE. »

Il demanda au petit garçon de le suivre et de s'asseoir. Frédéric obtempéra sans faire de manières.

Aurélien lui parla longuement de son propre père, de ses difficultés à échanger avec lui pendant l'enfance et l'adolescence, mais aussi de sa tristesse lorsqu'il mourut et de l'immense regret mêlé de remords qui l'avait alors envahi. Il s'en voulait de ne pas avoir assez parlé avec lui. Il se reprochait d'en avoir toujours rejeté la responsabilité sur son père, alors que c'était aussi à lui de susciter le dialogue. Il ne l'avait jamais fait.

La déclaration qu'il venait de lire sous la plume de Frédéric avait fait remonter en lui des souvenirs douloureux qu'il avait réussi jusqu'alors à tenir enfouis. Mais l'enfant ne parut pas convaincu par son discours. Il rédigea un nouveau petit mot qu'il lui tendit de la même façon : « JE N'AI RIEN À LUI DIRE. »

Découragé, Aurélien se dit alors que la conversation risquait d'être difficile si elle se limitait à un monologue ponctué de courts messages écrits. Il le dit à Frédéric, qui leva les yeux en signe d'impuissance. Puis le médecin s'efforça de développer de nouveaux arguments. L'enfant ne lui répondait toujours pas. Aurélien se prit la tête dans les mains pour lui faire savoir qu'il n'en pouvait plus, que sa tâche devenait trop périlleuse.

Frédéric rédigea alors une dernière phrase, qui l'inquiéta presque autant que la première : « VOUS AIMEZ BIEN MA MÈRE. »

25.

— C'est une question ou un constat? lui demanda Aurélien qui entendait garder son sang-froid.

L'enfant affichait un petit sourire narquois.

— C'est donc un constat.

Frédéric inclina la tête pour acquiescer.

— Qu'est-ce qui te fait dire ça?

Une nouvelle fois, le garçon s'empara de son bloc-notes et écrivit en gros, sans replier le papier : «J'Y ÉTAIS.»

Aurélien fut saisi d'une brève réaction de panique. Il y était? Mais où donc? Se pouvait-il qu'il fût là, tout près d'eux tout à l'heure? Sa chambre n'était pas loin, avait dit Agnès.

Mais l'enfant continuait de sourire et ne semblait nullement perturbé. Bien au contraire, il reprit son carnet et détacha une feuille qu'il plia en quatre avant de la remettre à Aurélien qui put y lire : «JE SAIS TOUT.»

Comme Frédéric restait imperturbable et ne manifestait aucune colère, aucun trouble non plus,

Aurélien eut un bref instant l'intuition qu'il bluffait. Voyant que l'adulte entrait dans son jeu, il se sentait maître de la situation, donc il persévérait.

Où était-il? Que savait-il au juste? Aurélien décida de pousser l'enfant dans ses retranchements :

— Je ne te comprends plus, Frédéric, lui déclarat-il. Tu me dis dans un premier temps que tu n'aimes plus ton papa. C'est ton droit, même si je te dis de l'aimer parce que ça lui fera plaisir et que tu en seras toi-même heureux en fin de compte. Ensuite tu m'écris que j'aime bien ta maman, ce qui est tout à fait vrai parce que je lui souhaite beaucoup de bonheur comme à son petit garçon. Et puis tu deviens mystérieux tout à coup, comme si on était dans un jeu de piste. Que signifient tous ces messages, mon garçon? Est-ce pour te moquer de moi? Si c'est le cas, ce n'est pas gentil, alors que je te manifeste bien plus que de l'intérêt, de la tendresse. Je te prends au sérieux, je veux que tu guérisses et je t'ai dit que je ne pourrais guérir moi-même que si tu allais mieux. Je t'ai même avoué des choses que je n'ai confessées à personne d'autre. Et j'ai tenu ma parole : ni ta mère ni ton père ne sont au courant de ce que nous nous disons. Je respecterai ma promesse jusqu'au bout. Tu es libre de raconter à tes parents ce que tu veux, mais ce n'est pas moi qui commencerai. Voilà, je t'ai tout dit. Que veux-tu, que cherches-tu, Frédéric?

L'enfant l'avait écouté sans se départir de son calme. Il avait gardé une mine sérieuse, mais sans gravité. Lorsque Aurélien eut fini de parler, il reprit son petit air amusé et un léger sourire flotta à nouveau sur ses lèvres. Il déchira une feuille de son bloc-notes, y écrivit cinq mots, la plia soigneusement et la tendit à son «précepteur». Il n'y avait plus de doutes. Frédéric y avait inscrit : «TU AS EMBRASSÉ MA MAMAN.»

En guise de signature, il avait ajouté un cœur.

La seule réaction qui passa par la tête d'Aurélien fut de se lever et d'embrasser à son tour l'enfant sur le front.

— Pour que tu ne sois pas jaloux, lui dit-il en plaisantant. Un baiser pour chacun.

Frédéric lui sourit. Son soutien paraissait acquis, au grand soulagement d'Aurélien.

— Tu garderas le secret, promis? Ça restera entre nous trois.

Le petit garçon hocha la tête pour donner son accord.

— Ce sont des histoires de grandes personnes, qu'il ne faut pas raconter aux autres parce que ça les rend moins belles, lui expliqua Aurélien.

Frédéric ne disait toujours rien, mais son visage était lumineux. Aurélien s'approcha pour le serrer contre lui et l'enlacer. Ils restèrent tous deux debout, rivés l'un à l'autre, jusqu'au moment où le portable d'Aurélien se mit à vibrer, les obligeant à se séparer.

Le numéro qui s'affichait était celui de Nathalie. Aurélien se mit à l'écart pour lui répondre. Leurs derniers échanges par SMS avaient été on ne peut plus froids. Cette fois-ci elle prenait l'initiative de l'appeler directement. Ce devait être pour une raison sérieuse.

Il lui répondit à voix basse, ce qu'elle commença par lui reprocher :

— Tu n'es pas seul ? Encore une fille ?

— Un enfant, Nathalie. Ne recommençons pas.

— Un enfant comme celui que tu as failli avoir avec ton infirmière ? Elle m'a tout raconté, figure-toi.

— S'il te plaît. J'espère que tu ne me téléphones pas pour me ressasser les mêmes reproches...

— En effet, il y a d'autres urgences, répliqua-t-elle. Je suis revenue à Saint-Cyr, et j'ai dû tout à l'heure chasser un individu qui te cherchait avec de mauvaises intentions, semble-t-il. Il s'est présenté comme le grand-père du petit garçon dont tu as raté l'opération. Il était choqué que tu n'aies pris qu'un an d'interdiction. Pour lui, tu n'es qu'un assassin, tout juste bon à finir en prison. Il m'a dit qu'il te poursuivrait jusqu'à son dernier souffle. Il a appris par son avocat que tu habitais désormais à Bordeaux. Il m'a annoncé qu'il avait décidé de s'y rendre pour « te buter ». Ce sont ses propres mots. Je t'appelle parce que c'est un fou furieux et qu'il m'a l'air déterminé. J'ai essayé de le raisonner en lui disant que je ne vivais plus avec toi mais que tu étais redevenu un mec bien, ravagé par le remords. Il s'en fichait complètement. J'ai dû le mettre dehors pour finir. J'en suis encore toute retournée. Je ne sais pas s'il faut que j'appelle la police. En tout cas, je devais te prévenir. Fais ce que bon te semble. Bien sûr, je ne lui ai pas donné ton adresse. Mais j'ai peur qu'il te retrouve.

Aurélien raccrocha, assez perturbé. Il revint vers Frédéric pour lui dire qu'il avait à son tour des problèmes à régler et qu'il était contraint de le quitter.

— Je suis heureux, lui dit-il avant de le laisser sortir, que nous soyons trois maintenant à partager un beau secret.

26.

Une fois encore, Aurélien était rattrapé par son passé. Et une fois de plus, il eut la tentation de réagir de la pire des manières : la fuite. Mû non pas par la peur, mais par l'envie violente de rompre avec l'épisode le moins glorieux de son existence. Il ne voulait pas qu'Agnès et son fils deviennent les témoins de cette infamie, si jamais le grand-père d'Arthur venait à mettre ses menaces à exécution. Tous deux s'étaient pris pour lui d'affection et le tenaient en grande estime. Il ne souhaitait pas déchoir à leurs yeux.

Mais, signe que quelque chose en lui avait changé, il se refusa à partir à la sauvette, comme il l'avait trop souvent fait depuis l'été. Il alla voir Agnès pour lui annoncer sa décision, sans lui en expliquer les véritables raisons. Il avait prévu de prétexter d'une urgence liée à un deuil de famille. Mais quand il vit la jeune femme, encore bouleversée par ce qu'ils avaient vécu le matin même, il improvisa sur un autre registre : il s'éloignait pour ne plus revenir la troubler, et donc l'importuner.

197

— C'est pour cela que je m'en vais, lui assura-t-il avec aplomb. J'ai beaucoup réfléchi. Cette situation n'est plus tenable. Je pense à vous chaque minute, même tout à l'heure quand Frédéric est venu me rendre visite comme vous le souhaitiez. Tout cela me met terriblement mal à l'aise. Je suis désormais incapable de bien m'occuper de votre fils sans arrière-pensées alors que je suis très attaché à lui. Vous n'y êtes pour rien, mais vous savoir si près de moi me perturbe trop. J'ai décidé de m'éloigner quelque temps pour voir des amis et, quand cela ira mieux, je reviendrai. Dites-le à votre mari, dites-le surtout à votre fils qui va beaucoup me manquer. Vous le ferez, Agnès? Et vous lui direz bien que j'ai promis de revenir?

Il avait prononcé ces deux dernières phrases un peu fort, dans un état d'exaltation qu'il ne pouvait masquer, même s'il mentait sur les véritables raisons de son départ.

Agnès s'approcha de lui, posa ses deux mains sur ses tempes et le fixa en écarquillant les yeux. Il n'avait plus rien à perdre : il en profita pour l'embrasser fougueusement. Elle se laissa faire. Puis elle guida les gestes d'Aurélien qui se faisait de plus en plus pressant. Il eut même l'audace de dégrafer son soutien-gorge.

Elle le repoussa timidement en soupirant :

— Non, non.

Mais elle continua à se laisser caresser. Elle ajouta :

— Pas ici, on peut nous surprendre.

Agnès était désormais consentante. Une seconde, Aurélien pensa à l'entraîner dans son appartement. Mais il ne voulut rien précipiter. Était-ce pour mieux se faire désirer pendant son absence ? Pour respecter son deuil et ne pas profiter de son désarroi ? Ou bien l'estimait-il déjà trop pour agir avec elle comme il l'eût fait avec une autre ? Tout se bousculait en lui. Il ne savait plus distinguer ce qui était bien de ce qui ne l'était pas, sa face pure et son versant noir. Il embrassa Agnès éperdument, puis se dégagea avec douceur de ses bras qui cherchaient à le retenir.

— Restez, Aurélien ! lui demanda-t-elle.

— Non, je dois partir. Je vous le dois pour ne pas vous embarrasser.

— Restez, je serai à vous.

Il demeura interdit pendant un court instant.

— Attendez mon retour. Nous verrons alors si vous pensez que je le mérite toujours.

Ses mots se voulaient chevaleresques, mais son esprit était agité de pensées bien plus triviales. Elle était à sa portée, il n'avait qu'un geste à faire pour la posséder. Il se retint pourtant, par respect pour elle et pour ne pas tout gâcher par un excès de hâte. Il voulait pouvoir la retrouver sans gêne à son retour, avec, espérait-il, la même qualité de désir chez elle comme chez lui.

— Je dois partir, Agnès. J'ai envie de vous dire des mots encore plus forts, mais je préfère les garder pour moi.

Elle essayait de remettre un peu d'ordre dans sa toilette et sa coiffure. Elle paraissait complètement perdue et tout aussi troublée que lui.

— Je vous en supplie, ajouta-t-il. Dites bien à Frédéric que je ne l'abandonne pas et que je ferai tout pour le guérir dès que je reviendrai.

Il ferma la porte derrière lui sans se retourner et descendit l'escalier en hâte, comme s'il craignait de ne pouvoir résister plus longtemps à la tentation de rester.

Il consacra sa dernière nuit bordelaise à écrire à Agnès une lettre passionnée, qu'il déchira après l'avoir relue, par peur du ridicule. Il n'avait pas l'habitude des lettres d'amour, il en avait reçu quelques-unes, et estimait qu'elles se résumaient, le plus souvent, à une sorte de capitulation. Quand il recevait pareil message, il savait que l'autre était à sa merci et profitait de cet avantage sans vergogne. Il ne voulait pas se trouver dépendant à son tour. Quel qu'en soit le prix, il aimait trop sa liberté et ne détestait rien tant que de se sentir bridé par un engagement.

Il appela ensuite Isabelle qui, comme il le pressentait, se trouvait sur messagerie. Ses sentiments avaient tiédi, mais il la tenait désormais pour une amie loyale. Il lui expliqua presque tout sur son répondeur : la menace du grand-père d'Arthur, sa décision de s'enfuir. Il lui parla de Frédéric, mais pas d'Agnès. Il lui demanda de ne pas le juger trop sévèrement et même de le défendre auprès des parents de l'enfant si par malheur le grand-père d'Arthur débarquait un jour chez eux.

Sa troisième démarche fut destinée, précisément, au père de Frédéric. Il lui écrivit une lettre plus convenue, dans laquelle il expliquait pourquoi il avait grande confiance en son fils. Il évoqua quelques progrès notables qu'il ne demandait qu'à faire fructifier lorsqu'il reviendrait à Bordeaux. Il ne pouvait lui dire combien de temps durerait son absence ; il demanda simplement à pouvoir garder le studio jusqu'à son retour, quelle qu'en soit la date.

Il repoussa le plus tard possible la rédaction de sa dernière lettre, qu'il voulait envoyer au grand-père d'Arthur. Après s'y être repris à trois fois, il décida finalement d'y renoncer pour s'adresser directement à ses parents. Juste après l'accident il leur avait, sur le conseil de la direction de la clinique, fait parvenir une lettre assez neutre de compassion et de condoléances. Dactylographiée et nantie de ses nombreux titres universitaires, elle manquait pour le moins de chaleur. Cette fois, il voulut se livrer davantage en leur avouant que leur enfant était devenu son remords permanent.

C'était si vrai que son sommeil, très court et haché, fut hanté cette nuit-là par le souvenir d'Arthur, comme il l'avait été sans arrêt durant la période qui avait immédiatement suivi le drame.

Tout au long de cette nuit-là, pour essayer de chasser ce fantôme aux yeux si expressifs, il envisagea plusieurs destinations. Il lui fallait quitter

Bordeaux au plus vite et s'en éloigner le plus possible.

Au petit matin, il avait choisi : il irait dans les
Alpes rejoindre l'un de ses amis qui possédait un
chalet en pleine forêt, tout près de Saint-Gervais.

Quand il arriva à la gare, il comprit vite qu'il ne
parviendrait pas de sitôt dans ses bois enneigés. Il
n'y avait pas de liaison aisée pour traverser la
France d'ouest en est. Il décida de prendre un train
direct pour Marseille. Ensuite il aviserait.

Il retrouva des réflexes qu'il avait perdus sans
regret. En montant dans le TGV il jeta un coup
d'œil autour de lui pour s'assurer que personne ne
le suivait. Il en voulait à son avocat qui, par
mégarde, avait dû donner à son confrère sa nouvelle adresse bordelaise, le contraignant ainsi à
s'écarter du danger. Il s'en voulait surtout de ne
pas avoir su cette fois encore maîtriser son besoin
de fuir. Fuir un personnage avec lequel il ne parvenait pas à se réconcilier, fuir un milieu qui lui
faisait désormais horreur, fuir toute émotion sus-
ceptible de devenir sentiment.

Il acheta à la gare un roman de poche, *L'Homme
sans qualités,* clin d'œil à un être qu'il ne connaissait
que trop bien, chez qui tout sonnait faux. La veille
encore, alors qu'il venait d'être foudroyé par la
grâce d'une belle rencontre, il avait éprouvé le
besoin de tricher et de raconter un mensonge qui
ne s'imposait pas. Il semait ses femmes derrière lui
comme d'inutiles cailloux blancs, car jamais il ne se
retournait, jamais il ne rebroussait chemin pour

retrouver leur trace. En neuf mois à peine, il avait déjà perdu Valérie, sa jeune maîtresse, Nathalie, sa femme, et Isabelle, son amie et confidente bordelaise. Qu'en serait-il d'Agnès? Il ne l'avait pas encore souillée, mais il lui avait déjà menti.

En dressant ce sinistre tableau de chasse, sombre comme le bilan d'une entreprise qui bat de l'aile, il se remémora un détail qui lui avait presque échappé sur le moment. La seule bonne nouvelle au milieu de tant d'échecs et de causes perdues. C'était pendant l'appel de son épouse, pour la première fois elle avait évoqué la grossesse de Valérie en parlant de l'enfant qu'il avait « failli » avoir avec « elle »... « Failli »... Un souci de moins. Car à l'heure qu'il était, il aurait pu être père pour la première fois.

Il resta plongé jusqu'à Marseille dans la lecture du roman de Musil.

Parvenu à destination, il monta dans un tortillard qui grimpait à son rythme vers Grenoble. Chacun de ses arrêts, plutôt fréquents, était une incitation à l'évasion. Manosque enchanta Aurélien qui décida d'y faire halte. Il en aima d'emblée l'ambiance provençale. Il sympathisa avec une marchande de légumes qui fermait son étal en lui vantant les mérites de son village de Valensole. Elle accepta de l'y emmener, et il se retrouva dans une camionnette d'un autre âge, coincé entre la maraîchère et ses deux jeunes fils qui l'aidaient à vendre ses produits.

Arrivée à destination, elle lui conseilla une maison d'hôtes nichée dans le château du Grand Jardin face aux champs de lavande. L'endroit lui plut et la propriétaire tout autant. Comme elle n'avait pas de clients en cette période hivernale, elle lui proposa sa meilleure chambre, au deuxième étage de la bâtisse. Sous une tapisserie d'époque dans l'espace immense de cette pièce baptisée «chambre Louise de Savoie», Aurélien put enfin se détendre de sa première journée d'errance.

Il sortit un autre livre, dont le titre l intriguait tout autant que celui de Musil. L'auteur était un Autrichien qui écrivait dans la même langue, Hugo von Hofmannsthal. Son héros, de retour de la Grande Guerre, est un irrésolu. C'est d'ailleurs l'un des deux titres de la traduction française de *Der Schwierige*, «l'homme difficile». Le personnage principal ne sait ni ne peut rien décider de sa vie, professionnelle ou amoureuse.

Aurélien fut conduit à s'interroger une nouvelle fois sur ses propres indécisions et son propre destin. Homme sans qualités, homme difficile? Que valait-il au juste? Pourquoi était-il devenu lui-même à ce point irrésolu? Le drame d'Arthur justifiait-il à lui seul ce flottement permanent? Sans doute en portait-il le germe dès l'origine, qui attendait pour s'épanouir la première épreuve qu'il aurait à traverser.

Épuisé par sa journée, Aurélien s'endormit tout habillé sur le lit, son livre encore à la main. Il fut réveillé à l'aube par le froid passant par la fenêtre restée ouverte.

La lettre qu'il n'avait pu lui adresser juste avant de partir, Aurélien l'écrivit à Agnès au petit matin de sa première journée en haute Provence. Il avait tout le temps devant lui. Sur plusieurs pages, il lui expliqua ce qu'il avait ressenti pour elle et lui avoua même la vraie raison de son départ précipité. Il se sentit soulagé par son aveu. L'homme sans qualités retrouvait quelques couleurs et pouvait se regarder moins péniblement dans la glace.

Au bas de cette longue lettre, il ajouta son numéro de téléphone, car il doutait qu'Agnès eût osé le demander à son mari. Puis il s'en alla la poster au village. Sur le chemin du retour, il se mêla à des clients qui faisaient la queue au bureau de tabac et leur demanda ce qu'il y avait à voir à Valensole en ce début du mois de mars. Tous lui vantèrent la beauté du plateau surtout quand y fleurit la lavande en été. On lui parla aussi d'un chemin piétonnier qui conduisait à Digne, parallèle à la voie du train des Pignes. Il eut envie de le découvrir.

C'était un sentier de randonnée qui nécessitait une dizaine d'heures de marche. Il revint au Grand Jardin pour s'équiper de chaussures adéquates. Son hôtesse put lui en fournir. Il la prévint de son projet. Elle lui prêta aussi un duvet et quelque nourriture pour la route. Il était heureux de s'être fixé un but, aussi modeste soit-il.

Il faisait encore frais quand il s'élança mais, peu à peu, l'effort et le soleil bientôt dressé à la verticale l'aidèrent à se réchauffer. Physiquement, il se sentait en bonne forme. Moralement, il allait beaucoup mieux. Son esprit se concentrait sur la marche. Chaque pas lui semblait déjà une victoire. Sans s'y efforcer, il parvenait à évacuer de son esprit toute autre pensée. Il ne songea qu'à trouver un abri lorsque survint une ondée ou à se préparer un gîte pour la nuit dans une grange. Centrée sur les seules choses qu'il devait accomplir dans l'immédiat, une nouvelle vie paraissait s'offrir à lui. Ce n'était pas la première fois.

Il fut réveillé par des bêlements insistants. Sa grange était cernée par un troupeau de moutons. Aurélien sortit pour aller saluer le berger, qui se méfia dans un premier temps de cet inconnu trop bien habillé, mais accepta de partager avec lui le petit déjeuner que lui avait préparé la châtelaine de Valensole. Aurélien l'interrogea sur son métier et sur sa transhumance qui ne faisait que commencer. Elle allait durer trois semaines. Après quoi le berger resterait sur le plateau pendant tout l'été avant de redescendre dans la vallée avec ses bêtes.

Aurélien l'écoutait, même s'il ne comprenait pas tout ce qu'il lui disait avec son accent très rocailleux. Il lui demanda s'il pouvait le suivre quelques heures, et même l'aider dans son travail. Le berger ne dit pas non.

Le rythme de la marche était ralenti par l'avancée du troupeau. Deux chiens aidaient à remettre dans le droit chemin les brebis égarées ou paresseuses. Cette image plaisait à Aurélien. Le métier aussi.

Lorsque le soir se mit à tomber, le berger choisit l'emplacement où il passerait la nuit. Il alluma un feu et proposa à Aurélien de rester là s'il le souhaitait. L'homme était peu bavard, mais Aurélien s'en arrangeait. Il aimait la paix qui s'était faite en lui et autour de lui. Sous les étoiles de Provence, calé dans son duvet, il ne tarda pas à trouver le sommeil.

Dans un état de semi-conscience, il se réveillait chaque fois qu'une brebis ou son agneau s'ébrouait en agitant sa clochette. Mais il était calme, apaisé. Ici, il n'avait plus rien à craindre, entre ciel et terre, si loin des hommes, si près des bêtes. Qui aurait l'idée de venir l'y dénicher? Il fallait simplement qu'il prévienne de son absence prolongée la propriétaire des chambres d'hôtes dès qu'il aurait du réseau sur son téléphone portable.

En attendant, il put jouir de chacune des minutes de ce jour naissant. Il profitait des plaisirs simples que lui suggérait le berger. Aurélien avait renoncé à l'interroger parce qu'il se rendait bien compte de ses réticences à se livrer. Pour lui, des questions s'apparentaient sans doute à une intrusion dans sa vie marginale et sauvage. Vie choisie qui semblait lui convenir. Aurélien avait remarqué que, de son côté, le berger ne lui avait rien demandé le concernant. Il n'avait même pas cherché à connaître sa profession ou les raisons de sa présence dans ces alpages.

Au deuxième jour de leur pérégrination, constatant qu'ils s'éloignaient du sentier de grande randonnée qui devait le conduire à Digne-les-Bains, Aurélien lui demanda s'il pouvait continuer à l'accompagner quelque temps de plus. L'homme sourit pour la première fois et lui répondit avec simplicité :

— Ce ne serait pas raisonnable.

Aurélien comprit qu'il avait besoin de rester seul avec ses bêtes, ainsi le voulaient sa vie et son métier... Et qu'il était plus «raisonnable» pour lui-même, en effet, de poursuivre sa propre route.

27.

En cherchant à prévenir le château du Grand Jardin, Aurélien s'aperçut que son portable clignotait. C'était un message sibyllin, un simple numéro de téléphone, sans davantage d'indications. Il se dit qu'il devait s'agir d'une erreur.

Il mit quelque temps avant de retrouver son chemin, non loin de la voie ferrée du train des Pignes. Mais le soir venu, il arriva à Digne où il passa sa première nuit à l'abri depuis trois jours.

Le lendemain, il visita la maison-musée de la ville où mourut l'exploratrice Alexandra David-Néel et il se mit à rêver à ce qu'il aurait pu devenir s'il avait été doté d'une même force de caractère et d'autant de curiosité. Mais l'idée de mourir à cent ans, comme elle, ne l'enchantait pas. Il avait l'impression d'avoir déjà consumé tant d'énergie à mi-parcours...

Grâce à l'office du tourisme, il trouva un véhicule qui le reconduisit à Valensole, où il décida de s'enfermer dans la chambre qui lui était réservée. Il s'était mis en tête de réunir quelques souvenirs dans la perspective d'écrire un livre qui lui permettrait de donner de lui une meilleure image que celle qu'il en avait. Mais il eut vite fait d'estimer que sa vie n'avait pas grand intérêt. Il essaya donc de se concentrer sur la période qu'il était en train de traverser. Un témoignage pourrait toujours être utile pour sa défense. Mais là encore les mots ne lui venaient pas, ou mal. Il entreprit alors de raconter son expérience de l'alcoolisme mondain, cette étrange maladie qui avait provoqué sa chute. Il ne se trouvait aucune excuse, si ce n'est peut-être celle d'avoir trop longtemps appartenu à cette société frivole qu'il méprisait et qui avait donné son nom à la pathologie en question. C'est elle au fond qui avait tué Arthur et avait précipité Aurélien dans ce puits sans fond. L'explication était un peu courte, mais elle lui permettait de théoriser sans trop avoir à se lamenter sur son cas.

Le soir, il descendait à la cuisine du Grand Jardin et se faisait servir une soupe et une assiette de fromages par la cuisinière, qui l'avait pris en sympathie. À plusieurs reprises elle lui proposa de sortir une bonne bouteille de sa cave, mais il refusa chaque fois.

Pas d'alcool, pas de génie non plus. Au troisième jour, il renonça définitivement à sa tentative d'écriture.

Il était en train de jeter tous ses brouillons au feu quand il vit s'afficher à nouveau sur son portable le mystérieux numéro de téléphone. L'indication ne lui était pas d'un très grand secours puisque le SMS émanait de ce même numéro. Mais cette fois le message était précédé d'une lettre : «A.» Il comprit aussitôt de qui il s'agissait et se précipita dans sa chambre.

La messagère mystérieuse était bien Agnès. Elle décrocha, un peu essoufflée, comme si elle avait couru pour répondre.

— C'est moi, se contenta-t-il de dire alors qu'ils ne s'étaient jamais parlé au téléphone et que ce «moi» n'avait de sens que pour lui. Mais pour elle aussi, cela semblait une évidence.

— Dites-moi, monsieur le précepteur, ironisa-t-elle, vous en mettez du temps pour réagir. Vous êtes toujours comme ça dans la vie de tous les jours?

Il ne chercha pas à se justifier.

— Vous avez reçu ma lettre?

— Oui. Et c'est d'ailleurs pour ça que je vous ai adressé ces messages...

— ... plutôt laconiques...

— Chacun sa façon de s'exprimer. Vous, vous enseignez, moi, je reçois... Au fait, merci pour votre franchise. J'ai apprécié votre lettre

— Juste apprécié?

— Vous êtes trop pressé. Vous ne connaissez pas assez bien les femmes. On ne vous a jamais appris à bien vous tenir à table, même si vous avez faim? C'est toujours à la maîtresse de maison de donner le signal du départ...

Leur conversation se poursuivit sur ce ton badin pendant de longues minutes. L'un et l'autre y trouvaient leur compte et, d'allusions en métaphores, ils entraient peu à peu dans l'intimité de l'autre. De la sienne Agnès défendait très bien l'accès. Elle le faisait avec une fausse innocence qui ravissait Aurélien. Il était pour tout dire fort excité par cet échange à distance.

Elle en rompit le charme, involontairement :

— Aurélien, j'ai besoin de vous dire quelque chose d'important. C'est sérieux. Cela concerne Frédéric.

— Je vous écoute, Agnès.

— Non, pas au téléphone. Il s'est passé quelque chose d'extraordinaire. Il faut que je vous le montre. Et pour cela, vous devez revenir.

— Je ne peux pas. Je n'ai toujours pas vu mon ami de Saint-Gervais.

— Eh bien, dites-moi, décidément, vous prenez votre temps ! plaisanta Agnès. À vous de choisir... Je vous attends, cher Aurélien. Et je vous embrasse.

Il n'eut pas le temps de lui renvoyer son baiser. Elle avait déjà raccroché.

« À vous de choisir... » Ce fut vite fait. Il renonça d'autant plus facilement à voir son ami du Mont-Blanc qu'il ne l'avait même pas averti de son arrivée. Il quitta à regret sa délicieuse hôtesse qui le soignait comme un prince, mais il ne pouvait faire autrement que d'anticiper son départ. Elle poussa la délicatesse jusqu'à l'accompagner en voiture, le lendemain matin, à la gare d'Aix-en-Provence.

Dans le train, Aurélien chassa toute appréhension à l'idée d'une éventuelle confrontation avec le grand-père d'Arthur. Il se sentait désormais plus solide, et donc plus courageux. Il affronterait ce que le destin lui réservait.

Il avait demandé à Isabelle de venir le chercher à son arrivée car il voulait tout lui dire ; mais elle ne vint pas. Sans doute n'avait-elle pas écouté sa messagerie, ou peut-être lui était-il difficile de s'échapper du domicile conjugal à cette heure tardive. Il ne lui en tint pas rigueur. Il aurait pourtant aimé la remercier de l'attention qu'elle lui avait témoignée à des heures cruciales de son existence dans cette même gare Saint-Jean. C'est elle, il ne l'oubliait pas, qui l'avait aidé à sortir de sa déchéance, à retrouver vis-à-vis de lui-même le sentiment de sa dignité.

Il se dirigea à pied vers la rue de Grassi, y déposa son sac puis monta aussitôt chez les parents de Frédéric. Il n'avait pas prévenu Agnès pour que sa surprise fût encore plus grande. La femme de chambre lui indiqua qu'elle était sortie avec son mari. Cette nouvelle, somme toute banale, produisit sur lui un choc qui s'ajouta à la déception de ne pas la voir dès son retour. Il n'avait jamais envisagé qu'elle puisse sortir en couple à un dîner ou à un cocktail. Il aimait l'image de la femme éplorée, cloîtrée dans ses appartements. Lui avait-elle menti ? Non, puisqu'elle ne lui avait jamais rien dit de contraire.

La femme de chambre lui demanda s'il souhaitait prévenir Frédéric, qui était déjà couché mais ne devait pas dormir. Il répondit que non. Il préférait parler d'abord avec Agnès, qui avait dit vouloir lui livrer une information sur son fils.

Il redescendit penaud dans son studio et, pour la première fois depuis plusieurs mois, il eut envie de prendre un verre. Mais il réussit à tenir bon. En manque d'Agnès alors qu'il s'était préparé à leurs retrouvailles pendant tout le voyage, il entreprit de lui écrire. La seule façon qui lui restait de la rejoindre dans l'immédiat.

Il osa lui confier ce que jamais il n'aurait pu lui dire si elle avait été là. Sans trop y réfléchir, porté par l'exaltation propre au sentiment amoureux, il lui demanda de quitter son mari pour vivre avec lui et Frédéric qu'il se faisait fort de guérir. Il s'y reprit cependant à plusieurs fois, le ton de sa lettre lui paraissant, de prime abord, trop enflammé. Les mots ne dépassaient pas sa pensée, mais sans doute eût-il dû les modérer, les adoucir, pour ne pas l'effrayer.

Il en était là de ses réflexions lorsqu'on sonna à sa porte.

28.

Il se dit que ce pouvait être Frédéric, mais sans trop y croire. À moins qu'il ne s'agisse déjà d'Agnès... Oui, ce devait être elle, il en était presque sûr. Il ouvrit alors avec confiance. Il reconnut aussitôt cet homme à forte corpulence qui ne cessait de le poursuivre mois après mois jusque dans ses cauchemars. Son premier réflexe fut donc de refermer la porte, mais l'individu avait glissé son pied pour l'en empêcher. Pour la première fois, ils se firent face ; ils ne s'étaient parlé auparavant que de biais. Il parut plus jeune qu'Aurélien ne l'avait imaginé. Pour lui, c'était jusqu'alors le grand-père d'Arthur. Ce soir, c'est un homme de son âge ou presque qui le toisait, avec mépris.

Il s'approcha de lui jusqu'à renifler son haleine.

— Vous n'empestez pas aujourd'hui. Vous n'opérez donc pas ?

— Je vous en prie, monsieur, répondit Aurélien qui n'en menait pas large et essayait de nouer un semblant de dialogue. Je viens d'écrire une lettre à votre fils et à sa femme. Sans doute aurais-je dû le faire aussi pour vous, mais vous m'avez rudoyé l'autre jour au cimetière et vous...

— Ne me parlez plus jamais du cimetière ni d'Arthur! s'emporta l'homme avec une violence qui fit reculer Aurélien. Ses parents sont noyés dans la douleur et vous accordent des circonstances atténuantes. Pas moi! Vous n'êtes qu'une canaille en blouse blanche!

— Monsieur! cria une dernière fois Aurélien avant de tenter une ultime argumentation.

Tout se passa si vite qu'il n'eut pas le temps de comprendre ce qui lui arrivait. Une douleur violente à l'aine lui fit perdre momentanément connaissance.

Il avait reçu un coup de poignard. Son agresseur l'avait frappé et regardait avec mépris ce corps qui gisait sur le sol, avant de lui lancer un coup de pied et de dévaler les escaliers en criant :

— Souffre au moins autant qu'il a souffert!

Aurélien, le souffle coupé, était à demi conscient. Seul un gémissement s'échappait de ses lèvres. Il ne parvenait pas à articuler le moindre mot. Recroquevillé sur le palier, il reconnut peu à peu l'odeur doucereuse du sang, qui s'échappait de son flanc. Dans un ultime réflexe de survie, il réussit à croiser les mains sur la blessure pour éviter de saigner davantage. Puis il s'évanouit pour de bon.

Quand il rouvrit les yeux, étonné d'être encore en vie, la tête flottant dans un épais brouillard, il parvint à reconnaître le visage d'Agnès au milieu d'une agitation qui lui était familière, celle des infirmières au chevet d'un malade après une anesthésie.

— Ne parlez pas, docteur, lui demanda l'une d'elles. Ne vous fatiguez pas. Tout va bien.

Il ne put cependant s'empêcher de balbutier quelques mots, mais sans parvenir à les rendre intelligibles.

— Ne bougez pas, insista l'infirmière. Je vous le répète, tout va bien. Vous êtes bien placé pour savoir qu'il faut garder son calme dans ces moments-là... Je suis une amie d'Isabelle, ajouta-t-elle.

À l'évocation de son prénom, il tenta de se redresser pour voir si Isabelle était présente elle aussi dans la chambre.

— Elle n'est pas là, docteur, mais je l'ai prévenue dès que j'ai su qui vous étiez.

En entendant parlez d'Isabelle, il avait souri. Il lui semblait que tous ses anges gardiens s'étaient donné rendez-vous au pied de son lit.

— En attendant, lui dit l'infirmière, je vais vous laisser avec votre femme. Mais promettez-moi de ne pas trop parler. Vous aussi, madame.

Elle s'était tournée vers Agnès qui baissa les yeux en signe de consentement. Et peut-être aussi à cause de son pieux mensonge.

— Alors, c'est donc vous, ma femme? murmura Aurélien. Vous allez vite en besogne, madame. Je ne suis pas encore divorcé.

Il avait dit cela lentement en détachant bien ses syllabes. Peu à peu l'usage de la parole lui revenait.

Et, s'exprimant doucement, il pouvait sourire et fermer les yeux tout à la fois.

Agnès se pencha sur lui et posa un baiser sur son front.

— La dernière fois que je me suis retrouvé dans un lit d'hôpital, dit-il, c'était il y a plusieurs mois, dans une autre vie. Mais en me réveillant, je n'ai appris que des horreurs. Pourriez-vous, chère Agnès, me dire ce qui s'est passé ? Avec ménagement s'il vous plaît...

Cette fois-ci, avant de lui répondre, elle l'embrassa sur la bouche.

— Maintenant, taisez-vous et écoutez, lui dit-elle, en lui souriant à son tour.

Elle lui raconta qu'elle était arrivée à temps, un peu plus tôt dans la soirée. Elle avait quitté la fin d'une réunion de parents d'élèves où son mari était resté. Elle avait trouvé les discours assommants et avait eu besoin de se retrouver seule. Peut-être aussi un soupçon de pressentiment...

En arrivant au bas de son immeuble, elle avait trouvé le concierge aux prises avec un individu surexcité qui tenait encore à la main un couteau maculé de sang. Ils l'avaient immobilisé et aussitôt prévenu la police.

Elle s'était alors précipitée dans les étages et c'est là qu'elle avait buté sur le corps d'Aurélien. Elle avait hurlé d'effroi en le voyant. Les policiers, arrivés rapidement, s'étaient occupé de lui et avaient appelé les secours. En les attendant, Agnès avait découvert sur son bureau la lettre qu'il était en train de lui écrire. Elle l'avait glissée dans sa poche.

— C'était plus prudent, vous mériteriez d'être puni, lui murmura-t-elle à l'oreille.

Il avait connu pire réprimande.

Épilogue

Aurélien Desmaroux décida de ne pas porter plainte contre le grand-père d'Arthur. Son geste émut les parents du petit garçon qui lui écrivirent pour le remercier. Il n'eut plus jamais aucune nouvelle de son agresseur dont il sut seulement qu'il avait préféré déménager, inconsolable de la mort de son petit-fils.

Aurélien ne revint lui aussi à Tours que pour aller se recueillir sur la tombe de l'enfant. Il divorça de Nathalie et ils vendirent leur maison. Il ne reprit pas son métier au terme de sa suspension par l'ordre des médecins. Il partit s'installer en Corse du Sud, à Pianottoli-Caldarello, non loin d'un centre pilote pour enfants autistes où il exerçait comme simple aide-soignant.

Il y acheta une petite maison au bord de la mer dont la simplicité résume désormais sa vision du bonheur : une table en bois d'olivier face aux embruns, où il déjeune de quelques tomates au sel, de fromage et charcuterie corses et d'un verre de vin ; un chien qui gambade au loin après l'écume

221

dans le soleil, et le vent qui s'engouffre en rafales par les bouches de Bonifacio. Ce vent-là balaie tout : les soucis, les miasmes, les résurgences du passé.

Sur la plage voisine, une jeune femme aide son fils qui vient de construire une maquette d'avion et tente de la faire décoller contre le vent d'ouest. Il a une douzaine d'années.

— Maman, j'ai réussi ! s'écrie-t-il.

Le rêve de ce garçon est de s'envoler, lui aussi, comme les oiseaux. La nuit, il y pense souvent, en dormant. Il décolle lentement, on le regarde avec stupéfaction. Lui seul sait entrer en lévitation. De temps à autre, il agite un peu les bras pour ne pas retomber comme une pierre et il prend de la hauteur. Le matin, quand il se réveille, son rêve l'obsède encore, avant de l'accompagner toute la journée. Il se sent plus fort que tous ses petits camarades avec lesquels il peut enfin échanger. Il n'arrête pas de parler, il a tant de retard à rattraper... Mais il garde pour lui le secret de son enfance.

Récits

Les Femmes de ma vie, Grasset, 1988.
L'Homme d'image, Flammarion, 1992.
Lettres à l'absente, Albin Michel, 1993.
Elle n'était pas d'ici, Albin Michel, 1995.
Confessions, Fayard, 2005.
Frères et sœur, Fayard, 2007.
Aimer c'est agir, Fayard, 2007.
À demain ! En chemin vers ma liberté, Fayard, 2008.
Tenir et se tenir, Presses de la Renaissance, 2010.
L'Expression des sentiments, Stock, 2011.
Seules les traces font rêver, Robert Laffont, 2013.

Essais

Mai 68-mai 78, Seghers, 1978.
Rencontres, Lattès, 1987.
Lettre ouverte aux violeurs de vie privée, Albin Michel, 1997.
Nostalgie des choses perdues, L'Archipel, 2014.
Avec Éric Zemmour :
Les Rats de garde, Stock, 2000.

Voyages

Les Derniers Trains de rêve, Le Chêne, 1986.
L'Âge d'or du voyage en train, Le Chêne, 2008.
La Bretagne vue par Patrick Poivre d'Arvor, Hugo, 2010.
Les 100 mots de la Bretagne, P.U.F., Que sais-je ?, 2012.
Avec Yann Arthus-Bertrand :
Une France vue du ciel, La Martinière, 2005.

Jeunesse

Avec Olivier Poivre d'Arvor :
Les Aventuriers du ciel, Albin Michel Jeunesse, 2005.
Les Aventuriers des mers, Albin Michel Jeunesse, 2006.
Le Mystère des pirates et des corsaires, Albin Michel Jeunesse, 2009.

Biographies

Horizons lointains, Éditions du Toucan, 2008.
Hemingway, la vie jusqu'à l'excès, Arthaud, 2011.
Avec Olivier Poivre d'Arvor :
La Légende de Mermoz et de Saint-Exupéry, Mengès, 2004.
Rêveurs des mers, Mengès, 2005.
Le Monde selon Jules Verne, Mengès, 2005.
Lawrence d'Arabie, J'ai lu, « Images », 2009.

Livres illustrés

Avec Olivier Poivre d'Arvor :
Courriers de nuit, Mengès, 2002.
Coureurs des mers, Mengès, 2003.
Pirates et corsaires, Mengès, 2004.
Chasseurs de trésors et autres flibustiers, Place des Victoires, 2005.
Lawrence d'Arabie la quête du désert, Place des Victoires, 2006.
Les Solitaires de l'extrême, Place des Victoires, 2007.
Jusqu'au bout de leurs rêves, Place des Victoires, 2010.
Explorateurs et chasseurs d'épices, Place des Victoires, 2014.

Poésie

Anthologie des plus beaux poèmes d'amour, Albin Michel, 1995.
Et puis voici des fleurs..., Le Cherche-midi, 2009.
Un mot de vous, mon amour, Le Cherche-midi, 2010.
L'Appel ardent de Jean d'Arvor, Melis, 2010.
100 poèmes incontournables, Librio, 2010.
Plaisirs d'amour, Le Cherche-midi, 2014.

Correspondances

Avec Olivier Poivre d'Arvor :
Je souffre trop, je t'aime trop, Points Seuil, 2010
Faut-il brûler ce livre ?, Points Seuil, 2010.
Entre le ciel et la mer, Points Seuil, 2010.
À toi, ma mère, Points Seuil, 2010.
Mon cher éditeur, Points Seuil, 2010.
À la vie, à la mort, Points Seuil, 2010.

La photocomposition de cet ouvrage
a été réalisée par
GRAPHIC HAINAUT
59410 Anzin

Cet ouvrage a été imprimé
en février 2015 par

FIRMIN-DIDOT

27650 Mesnil–sur–l'Estrée
N° d'édition : 54119/01
N° d'impression : 124466
Dépôt légal : février 2015

Imprimé en France